*"Trabaje por la realización
de sus sueños y haga de su vida
una obra maestra."*
—Rubén González

RUBÉN GONZÁLEZ JUEGOS OLÍMPICOS DE SALT LAKE, 84 MPH

Rubén González

VUÉLVASE IMPARABLE

Cómo convertirse en un campeón en los negocios y en la vida

TALLER DEL ÉXITO

VUÉLVASE IMPARABLE

Título en inglés: Becoming Unstoppable
Traducción: Taller del Exito Inc.

Taller del Éxito Inc.
1669 N.W. 144 Terrace, Suite 210
Sunrise, Florida 33323
Estados Unidos

Editorial dedicada a la difusión de libros y audiolibros de desarrollo personal, crecimiento personal, liderazgo y motivación.

ISBN: 1-931059-53-5

Printed in Colombia
Impreso en Colombia

Primera edición, 2008
Primera reimpresión, Abril de 2009

ÍNDICE

LO QUE OTROS HAN DICHO SOBRE EL TRABAJO DE RUBÉN GONZÁLEZ...

"Rubén González ha logrado lo que pocas personas logran: dominar su voluntad. ¡Esto es estimulante e inspirador!"

—Dr. Stephen Covey

Autor de la obra "The 7 Habits of Highly Effective People (Los siete hábitos de las personas altamente efectivas)"

"Rubén habla desde su mente y su corazón e inspira a las personas comunes convenciéndolas de que pueden lograr lo extraordinario. Él es persuasivo, entusiasta y muy realista. Invítelo a compartir sus pensamientos con su personal y estará feliz de haberlo hecho."

—Zig Ziglar

Autor del libro "See You at the Top (Nos vemos en la cumbre)

"En 1980 estuve en El milagro sobre hielo, en Lake Placid, y de nuevo en el milagro, en la montaña de Utah, en 2002. Ningún otro competidor olímpico que yo haya conocido tiene tanto de campeón como Rubén González. Lea e interiorice lo leído, así usted podrá materializar y alcanzar sus propios sueños."

—Dr. Denis Waitley

Autor del libro "La psicología del ganador"

"Si usted lee o escucha a Rubén,
su vida experimentará un cambio positivo."

—Lou Holtz

Legendario entrenador del equipo de fútbol de Notre Dame y autor del libro "Winning every day (Venciendo cada día)"

"Este es verdaderamente un mapa hacia el éxito. Léalo, aplique sus principios eternos y logrará transformar sus sueños en realidad."

— Bob McEwen

Honorable congresista, de los Estados Unidos,

"Rubén nos enseña que una vez que transformamos nuestros temores en energía comenzamos a convertir nuestros sueños en realidad."

—Gerhard Gschwandtner

Fundador y editor de la revista Selling Power

"Rubén no solamente ha luchado por sus metas sino que las ha conseguido. Su espíritu agradecido y su actitud humilde lo convierten en uno de los conferencistas más

maravillosos y genuinos que he escuchado en mi vida.
Lo recomiendo de todo corazón."
—Charlie "El formidable" Jones
Autor del libro "Life is Tremendous (La vida es formidable)"

"La estimulante historia de vida de Rubén González, así como su duro trabajo, dedicación y compromiso – que lo han llevado al logro y al éxito y a la competencia más grandiosa del mundo – resultan totalmente inspiradores y constructivos de una forma inimaginable.
—Brian Tracy
Autor del libro "Million Dollar Habits (Hábitos que producen millones de dólares)"

"Rubén es un vivo testimonio del poder del espíritu humano. Su libro constituye una apasionante invitación a la acción, desafiándole a uno a desarrollar todo su potencial. Con su asombrosa historia olímpica, Rubén nos anima a luchar por nuestros sueños, nos prepara para vencer la dificultad y nos estimula a alcanzar la victoria."
—Rudy Ruettiger
Inspirador de la famosa película "Rudy"

"¡Inspirador! Rubén tiene una habilidad única para motivar a sus audiencias. Su impresionante historia acerca del triunfo sobre la adversidad en vía a los olímpicos, nos anima a todos a establecer y a alcanzar metas loables."
—Jack Canfield
Autor del libro "The Success Principles (Los principios del éxito)"

"Es consejo práctico que lo energiza a uno y le da las fuerzas que se necesitan para alcanzar el éxito. Rubén expresa la verdad absoluta en cuanto a lo que implica alcanzar el éxito en la vida real."

—Jim Rohn

El filósofo de negocios más conocido de Norteamérica

"El mensaje de Rubén acerca de la determinación, el compromiso y la persistencia, hizo la diferencia en nuestra organización de ventas. Su mensaje inspirador demuestra que él es un ganador, no sólo en la competencia deportiva más importante de todas, sino también en la motivación del personal. Es una prueba viviente del concepto de "¡Nunca rendirse!"

—Jerry Farmer

Vicepresidente de ventas de Xerox para Norteamérica

"Rubén conoce los pasos que se necesitan para triunfar. ¡Su entusiasmo y actitud positiva son contagiosos!"

—Mark Victor Hansen

Co-creador de "Chicken Soup for the Soul (Sopa de pollo para el alma)"

"¡Fenomenal! ¡Rubén es un verdadero rinoceronte! Su visión cristalina del éxito atraviesa todas las fronteras. Él nos invita a hacer más, a ser más, a buscar más oportunidades, en otras palabras, a vivir la vida al máximo."

—Scott Alexander

Autor del libro "El éxito del rinoceronte"

"La vida de Rubén González confirma una vieja verdad: La determinación, la fe y la confianza en los dones que Dios nos ha dado, todavía son claves importantes en el camino al éxito."

—Wally Amos

Autor del libro "The Cookie Never Crumbles (La galleta nunca se desmorona)"

“Quienes sueñan en la noche en los polvorientos descansos de su mente, se despiertan en la mañana y descubren que todo era vanidad; pero los que sueñan en el día son peligrosos… porque trabajan en sus sueños… y los hacen posibles

—T.E. Lawrence, Seven Pillars of Wisdom
(Los siete pilares de la sabiduría)

La pregunta más frecuente que me hacen luego de que pronuncio un discurso es:

"¿Cómo puedo ser más exitoso y conseguir mejores resultados en todo lo que hago?"

Este libro contiene la respuesta a esa pregunta.

¡ESTE LIBRO PUEDE CAMBIAR SU VIDA!

(Pero sólo si aplica la información que contiene)

El seguir las cinco sugerencias que se dan a continuación le ayudará a transformar la información contenida en este libro en hábitos que cambiarán su vida:

1. Lea este libro más de una vez. He leído los libros "Piense y hágase rico" y "La magia de pensar en grande" cada año durante los últimos veinte años. Mientras más lea un libro más se parecerá a su contenido.
2. Subráyelo y haga notas marginales. Tenga a la mano un bolígrafo y un resaltador. Subraye las oraciones y los párrafos que llamen su atención. Escriba sus propias ideas en los márgenes del libro.
3. Repase las secciones subrayadas. Léalas una y otra vez. Grabe y escuche sus notas.
4. Ponga en práctica la información inmediatamente. Hacerlo le ayudará a entender mejor el material. No intente ser perfecto. Hacerlo es preferible, a ser perfecto.
5. Dé prioridad a lo que quiera aprender. Seleccione entre uno y tres temas que contenga el libro; aplíquelo(s) con asiduidad y conviértalo(s) en un hábito.

Este libro está dedicado a mis padres, quienes
me enseñaron los valores y principios que me ayudaron
a alcanzar mis sueños.

PRÓLOGO DEL CONGRESISTA BOB MCEWEN

El tres veces atleta olímpico Rubén González es un autor y orador de gran inspiración. Él ha escrito un libro difícil de igualar: un libro que habla directamente al lector. Pienso que cuando usted lee sus ideas, llenas de sentido común, usted siente *como si él estuviera sentado a su lado*, compartiendo sus percepciones, señalándole el camino correcto. *Vuélvase imparable* es más que un libro, es un mapa que conduce al éxito.

El mensaje de Rubén en *Vuélvase imparable* es muy representativo de mi propia filosofía: Norteamérica es la tierra de las oportunidades; y como norteamericanos, es nuestra responsabilidad utilizar los talentos que Dios nos dio para perseguir nuestras esperanzas y sueños.

Rubén le ayudará a identificar su sueño. Luego, le ayudará a descubrir sus fortalezas. Finalmente, estará a su lado a medida que emplee sus fortalezas para realizar sus sueños. *Vuélvase imparable* hará más que contarle las percepciones personales de Rubén acerca del éxito. Él le hará ver que alcanzar su sueño es posible, y luego le inspirará y le equiparará con lo necesario para realizarlo. Después de leer este libro y de aplicar sus ideas, usted estará comprometido con su sueño y estará andando... ¡como un campeón!

Vuélvase imparable cobra vida, y esto es posible porque Rubén ha escrito este libro basándose directamente en sus experiencias de vida. Como atleta y empresario, Rubén salió adelante en medio del juzgar infundado de los escépticos, los huesos rotos, nada de patrocinio y se convirtió en un atleta olímpico... ¡en tres ocasiones! ¡En tres décadas diferentes! En este libro Rubén se presenta cándido y transparente respecto a las dificultades y los triunfos que experimentó, y al espíritu de tenacidad que lo transformó en un verdadero ganador.

Existe un campeón en cada uno de nosotros. Es posible que usted sea un representante de ventas que lucha por alcanzar sus metas, o un empresario que lucha por hacer prosperar su negocio, un estudiante que procura tener mejores calificaciones o un motivador que intenta estimular a su equipo de colaboradores. En cualquiera de esos casos *Vuélvase imparable* es para usted.

Sea como Rubén. Sea un vencedor. Logre alcanzar sus metas. Desarrolle su pleno potencial. Aprenda a ser un líder decidido. Adquiera esa mentalidad de líder. Construya su propia historia de éxito...ahora mismo. Hágase un deportista olímpico en su propia arena.

Lea *Vuélvase imparable.* Léalo cuidadosamente. Tómelo en serio. Siga sus consejos cabalmente, como lo hizo Rubén. Haga lo que Rubén aconseja. Haga lo que Rubén hace.

Si usted hace cuidadosamente lo que le digo, lee este libro *Vuélvase imparable,* y sigue al pie de la letra todas las buenas indicaciones de Rubén, ¡entonces usted REALMENTE ALCANZARÁ la realización de sus sueños!

—Honorable Bob McEwen – Miembro del congreso de los Estados Unidos.

UNA RECOMENDACIÓN DEL AUTOR

Mi padre siempre me decía: "Si lees acerca de las vidas de las personas que admiras, aprenderás sobre lo que funciona y no funciona en la vida, esto se debe a que el éxito deja algunas pistas."

Ése es uno de los mejores consejos que he escuchado. A través de los años he leído cientos de biografías, siempre procurando encontrar claves que me permitan alcanzar mis sueños y ambiciones. Y así es que he aprendido que la gente exitosa piensa diferente. Ellas han acondicionado su mente para concentrarse siempre en las posibilidades, en vez de hacerlo en los obstáculos. Las personas exitosas piensan en grande, y a continuación toman decisiones sabias. Porque en lo que a ello respecta, el éxito es cuestión de elección.

"Nuestros sueños pueden convertirse en realidad si tenemos el valor de perseguirlos" - Walt Disney

Usted puede aprender a pensar y actuar como lo hace la gente exitosa. Una vez que usted empiece a hacerlo, comenzará a obtener resultados en grande y eso es lo que yo quiero ayudarle a hacer por medio de este libro.

A medida que lea este libro, le estaré contando acerca de los principios que provienen de todas las direcciones. En ocasiones estaré repitiendo estos principios eternos a fin de ayudarle a acondicionar su mente subconsciente para interiorizarlos y actuar en consecuencia con ellos.

Si usted aplica consistente y persistentemente los principios de este libro, en poco tiempo estará en condiciones de escribir su propia historia de éxito.

Yo nunca fui un gran atleta. De hecho siempre era el niño que escogían de último en los deportes del colegio. Pero utilicé los principios que se expresan en este libro para pasar de ser un "calienta bancas" en el equipo de fútbol de mi universidad, a un atleta olímpico tan solo cuatro años después. Después de mi carrera olímpica, utilicé los mismos principios para empezar varios negocios exitosos. Si estos principios funcionaron conmigo, seguramente también funcionarán con usted.

Este libro está dividido en siete partes. La parte uno es acerca del sueño, de cómo descubrir su sueño y propósito en la vida. En la parte dos, aprenderá sobre cómo lograr la persistencia constante para buscar la realización de sus sueños. En la parte tres se habla acerca de cómo crear un plan infalible y cómo establecer metas. En la parte cuatro usted aprenderá acerca de cómo convertirse en un mejor líder de modo que pueda conformar un equipo de personas que le ayude a alcanzar sus metas y sueños. La parte cinco muestra cómo comprometerse con su misión. La parte seis revela cómo vencer los inevitables desafíos que de seguro enfrentará. Y por último, en la parte siete aprenderá a desarrollar todo su potencial en la búsqueda de sus sueños.

Usted puede hacerme un favor, cada vez que empiece a obtener victorias en su camino para alcanzar sus sueños. Escríbame un mensaje de correo y cuénteme de esas victorias. Ellas serán motivación para mis propias victorias.

—Rubén González

“La vida o es una aventura para
atreverse o no es nada.”
—Helen Keller

PRIMERA PARTE

EL SUEÑO

CALENTANDO LA BANCA EN EL EQUIPO DE FÚTBOL DE MI UNIVERSIDAD.

Usted fue creado para la grandeza

Durante los últimos treinta años he estado estudiando el éxito. Durante ese tiempo he leído cientos de biografías y manuscritos en busca de principios eternos para alcanzar el éxito. Luego de estudiar la vida de las personas más exitosas de la historia, personas como Thomas Edison, Abraham Lincoln, George Washington, Thomas Jefferson, los hermanos Wright, la madre Teresa de Calcuta, Martin Luther King y muchos más, descubrí un secreto que cambió mi vida. Un secreto tan eficaz, tan poderoso, que todo el que lo acoja puede utilizarlo para alcanzar sus sueños más atesorados. Un secreto que usted puede utilizar hoy para crear un mejor futuro.

¿Está listo para descubrir el secreto? Aquí está... Las grandes personas no nacieron grandes. Se hicieron grandes por medio de una decisión, lo hicieron persiguiendo su sueño en la vida y luego rehusando darse por vencidos. La lucha que enfrentaron a lo largo del camino que conducía al éxito fue lo que los hizo grandes. Las dificultades les hicieron explorar más profundo dentro de sí mismos. Sólo hasta que lo hicieron, descubrieron sus dones.

Usted tiene dentro de sí una grandeza que le fue dada por Dios. Su grandeza le será revelada a medida que persevere en la búsqueda de sus sueños. Usted logrará alcanzar cosas extraordinarias si sigue de forma consistente y persistente los principios expresados en este libro. Estos son los mismísimos principios que aprendí al estudiar a los grandes personajes de la historia.

Usted puede aprender a activar sus poderes especiales y a atraer lo que desea en la vida. Se trata simplemente de una habilidad. Dése a sí mismo la oportunidad de aprender las habilidades fundamentales que le llevarán a alcanzar el éxito, así tendrá el poder de crear su propio futuro.

Póngalo en práctica:

Aprenda los principios del éxito y utilícelos para impulsarse a alcanzar sus propias victorias.

El poder de lo que usted dice

Las personas exitosas entienden que aún si estamos programados para la mediocridad, fuimos diseñados y creados para el logro extraordinario.

El acondicionar nuestra mente para el logro extraordinario es sencillo, pero no es fácil. El camino al éxito en todas las áreas de la vida puede ser obstaculizado de cinco maneras:

1) Por lo que usted se dice a sí mismo
2) Por sus creencias y pensamientos
3) Por lo que usted hace
4) Por sus hábitos diarios
5) Por sus resultados

Lo que usted se diga a sí mismo influye en sus creencias y pensamientos. Éstos determinan lo que usted hace. Lo que usted hace repetidamente se convierte en hábito. Sus hábitos determinan sus resultados. Ahora bien, si usted no se siente satisfecho con los resultados, cambie lo que se dice a sí mismo y rodéese de personas que le apoyen en la búsqueda de la realización de sus sueños. Si lo hace, pronto empezará a obtener resultados diferentes.

Las personas exitosas hablan y piensan constantemente acerca de sus metas. Por el contrario, las personas que no alcanzan el éxito piensan y hablan constantemente acerca de lo que no desean.

¿Qué hay de usted? ¿En qué piensa constantemente? ¿Cuál es el tema de su conversación? ¿Qué hay de las personas con las que usted pasa la mayor parte del tiempo? ¿Se enfocan estas personas en sueños o en pesadillas? ¿Son ellos mentores o "atormentadores"?

¿Sabía usted que sus ingresos son el ingreso promedio de las personas con las que se rodea? ¿Quiere doblarlos? Comience a asociarse con las personas que ganan el doble de usted. Entonces empezará a pensar en grande, a actuar en grande, y a ganar en grande. ¡En serio!

Póngalo en práctica:

Empiece a hablar y a pensar acerca de lo que desea alcanzar en la vida. Asóciese con personas exitosas. Busque a un mentor o a alguien que le ayude a acelerar su proceso.

Todo comienza con creer

El primer paso del camino al logro comienza por creer que el éxito es posible. Cuando tenía diez años y empecé a soñar con competir en los olímpicos, no pensaba que era un sueño posible. Después de todo, yo no era un gran atleta y más bien era el último chico que escogían para jugar en educación física.

Yo necesitaba empezar a creer en mí mismo a fin de poder emprender la acción. La falta de creer en sí mismo y la falta de confianza se convierten en temor y en fracaso, y eso es lo que impide que la gente vaya en pos de sus sueños. Después de todo, si usted no cree que puede alcanzar sus sueños, ¿para qué intentarlo siquiera?

Creer es la fuerza impulsora, el poder detrás de todos los logros. Creer que algo es posible conduce a buscar maneras de hacerlo posible. El "cómo hacerlo" empieza a fluir en la persona que cree que puede hacerlo. Cuando usted cree, empieza a atraer ayudantes y esto es así porque de repente su confianza se hace evidente, de modo que otros comienzan a creer en usted. Una vez que empiece a creer, estará listo para emprender la acción, y créame, alcanzar el éxito implica ejecutar amplias dosis de acción durante mucho tiempo. A menos que usted se comprometa, nunca hará sus sueños realidad.

Hay dos cosas que usted puede hacer para su nivel de credibilidad en sí mismo. Los libros que usted lee y la gente con la cual se asocia determinarán en buena medida lo que usted cree. Hablemos de leer los libros de la clase correcta.

Mi padre siempre me animó a leer biografías. Solía decir: "Rubén, ¿por qué no lees algunas biografías de personas que se hayan destacado?" Si investigas sobre la gente a la que admiras, aprenderás acerca de lo que funciona o no en la vida; ello se debe a que el éxito deja algunas pistas. Luego, respaldaba sus afirmaciones permitiendo que los libros obraran su magia.

Entonces empecé a leer biografías y éstas empezaron a fascinarme. Leí cientos de ellas. Mis favoritas eran las historias de personas que habían vencido grandes reveses para realizar sus sueños. Así me di cuenta de que las personas comunes podían lograr lo extraordinario si aplicaban los principios del éxito de forma consistente.

Si no le gusta leer, vea el canal de biografías, y muy pronto, ¡empezará a creer también!

Póngalo en práctica:

Lea las biografías de personas que vencieron grandes obstáculos a fin de realizar sus sueños. Sea más exitoso aprendiendo de alguien que haya alcanzado el éxito. Asesórese de un mentor o entrenador.

Cómo alimentar su deseo de ganar

El éxito tiene muchas facetas. Usted debe tener un sueño, algo por lo cual luchar. Debe creer en sí mismo. Debe emprender una acción decidida con la actitud de estar dispuesto a hacer lo que sea necesario durante el tiempo que sea necesario. Así, y sólo así, es posible alcanzar el éxito.

Más que cualquier otra cosa, es su deseo el que determinará si lo va a lograr. ¿Con cuánta vehemencia desea alcanzarlo? ¿Es su sueño algo que sencillamente le gustaría hacer? ¿Es algo que sería agradable hacer? ¿O es algo con lo cual está absorto?

El grado de anhelo que usted manifieste por lograr su sueño determinará si lo alcanzará o no; esto se debe a que en la medida en que desee lograrlo, se podrá determinar lo que pudiera hacerle desistir. Lo que le permite a una persona con habilidades promedio competir exitosamente con alguien que demuestre tener mucha más habilidad, es el deseo intenso de alcanzar sus metas. El deseo le permite a uno dar todo de sí. Le permite desarrollar su pleno potencial. El deseo intenso permite a las personas obtener victorias frente a obstáculos enormes.

Si su sueño no es una obsesión, tan pronto como enfrente obstáculos, se dará por vencido. Tan pronto como el desafío de alcanzar sus sueños se convierta en un tropiezo, se dará por vencido. Alcanzar el éxito no es lo más cómodo. ¡Créalo! Para alcanzar el éxito usted necesitará incomodarse bastante y durante largo tiempo. Por ello es que es tan importante estar motivado, entusiasmado y apasionado por su sueño. Si su "¿Por qué?", es suficientemente grande, su "cómo" se encargará de lograrlo.

Para alcanzar el éxito usted necesita saber cómo alimentar su deseo. Mientras más lo haga, más difícil será abandonarlo. La mayor parte del entrenamiento de los atletas olímpicos consiste en dos cosas: fortalecer el nivel de creencia y alimentar el deseo. ¿Cómo se hace eso? ¿Cómo se transforman los sueños en obsesiones magníficas?

Rodéese de su sueño. Ponga fotos de sus sueños a su alrededor. Las paredes de mi oficina están completamente llenas de objetos alusivos a los olímpicos. Cuando me rodeo de mi sueño estoy bombardeando mi mente con mis metas. Si yo sueño despierto, lo hago con los olímpicos.

Yo hablo con la gente acerca de mi sueño. Pienso en él durante todo el día, sueño con él durante toda la noche. Imagino con intensidad lo que se sentirá estar en la ceremonia de premiación.

También es conveniente poner por escrito los sueños. Hacerlo constituye un acto de compromiso que se fija en la mente subconsciente. Cuando uno plasma sus pensamientos sobre el papel, la mente se enfoca intensamente y se vigoriza.

Haga lo mismo con su sueño. Obsesiónese con él. ¡Concéntrese intensamente en él, y hágalo una realidad!

Póngalo en práctica:

Consiga fotos sobre su sueño. Hable de él. Visualícelo. Rodéese de personas con intereses similares a los suyos; y entonces, ¡emprenda la acción de forma arrolladora!

Válgase de sus fortalezas

¿Alguna vez ha estado en una situación donde el trabajo parecía realizarse sin ningún esfuerzo? Bien, probablemente usted estuvo en una situación en la que utilizó sus fortalezas personales.

Sócrates dijo: "Conócete a ti mismo", y estaba totalmente en lo cierto. Conocer las fortalezas y debilidades de uno hace que el camino hacia el éxito sea más fácil y más rápido. Mientras mejor conozca sus fortalezas, más equipado estará para encontrar un terreno apropiado donde jugar y desarrollar una estrategia que le ayude a ser exitoso.

Este concepto se aplica a los deportes, a la educación, al hogar, y por supuesto, al éxito profesional y personal.

Las personas exitosas se concentran en sus fortalezas. ¿Conoce usted las suyas?

En los deportes, llegar a conocerse a sí mismo no es difícil. Su contextura física puede ser la apropiada para muchos deportes. En el fútbol americano alguien con complexión de defensa podría no ser tan apropiado como corredor. Tal vez yo no sería un buen luchador de sumo ni tampoco un jugador de jockey.

Si yo no hubiese conocido mis fortalezas nunca hubiera ido a los olímpicos. Como lo digo en mis discursos, yo no era un gran atleta. Mi mayor fortaleza era la perseverancia. Escogí el *luge* como deporte porque sabía que podía perseverar frente a los desafíos. Entendí que el *luge* era tan peligroso que imaginé que muchos se darían por vencidos.

Mi estrategia consistió en aguantar la competencia. Nunca hubiera desarrollado una estrategia eficaz si no hubiera conocido mis fortalezas.

Hace algunos años tomé una prueba de personalidad. El resultado fue sorprendente. Reveló cosas sobre mí de las cuales no era consciente. Pero una vez supe de los resultados, inmediatamente concordé con ellos. El informe me suministró herramientas que me han ayudado a construir mi negocio y a comunicarme mejor con otros; mi esposa, mis hijos, mis colegas, etc.

Siempre he trabajado duro. Por ello, el conocer el informe me permitió trabajar de una mejor manera. Trabajar en el fondo me hizo más productivo. Me da una ventaja. Me ayuda a obtener más en la vida y en el trabajo. Si usted desea ser más exitoso, descubra sus fortalezas y concéntrese en ellas.

Póngalo en práctica:

Tome un test de personalidad. Se alegrará de haberlo hecho. Personalmente recomiendo los test DISC y Kolbe. Son fenomenales. Una vez que usted descubra sus fortalezas, concéntrese en ellas y rodéese de personas que sean fuertes en las áreas donde usted es débil.

Encuentre su sueño y propósito

Benjamín Franklin dijo: "La mayoría de los hombres mueren a la edad de 25 pero sólo son enterrados hasta que cumplen 70." Lo que quiso decir fue que la mayoría de las personas abandona sus sueños antes de cumplir treinta años de edad y pasan el resto de su vida en un "modalidad de supervivencia," viviendo día a día, intentando pasar el día, en vez de vivir una vida llena de pasión en la búsqueda de sus sueños.

A menos que usted sea totalmente transparente respecto a su propósito en la vida, su misión, su llamado o su destino, y a menos que usted crea que es posible hacer ese sueño una realidad, no cambiará el proceso y se relegará a vivir en "modalidad de supervivencia." Y créame, "la modalidad de supervivencia" no es un estilo de vida que valga la pena vivir.

Usted fue creado para alcanzar sus sueños. Es su propósito en la vida. Es su llamado. Es su misión. Su sueño se reflejará en los dones que Dios le ha otorgado; lo impulsará a alcanzar sus ideales más altos y le dará energía ilimitada. Tener un sueño lo conecta a uno con el espíritu que mora en su corazón, representa una fuente singular de dádivas y talentos que nos hace sentir que nuestra vida tiene sentido. Nos hace sentir que hacemos la diferencia.

Poseer un sueño nos da un propósito en la vida que nos proyecta hacia el futuro. En vez de estar preocupado con las frustraciones del presente, un sueño nos permite concentrarnos en las posibilidades del futuro. Un sueño nos da energía; y finalmente, tener un sueño impide que desperdiciemos la vida. Los sueños nos impiden desperdiciar nuestros talentos, habilidades y creatividad. Nos impiden vivir una vida llena de pesares y de ese terrible sentimiento de "pude haberlo hecho."

Usted experimentará el éxito en la vida en la medida en que usted tenga claras sus metas y esté comprometido con alcanzar su propósito en la vida.

Las experiencias que haya tenido, lo han preparado para desarrollar su propósito en la vida. Usted posee talentos, habilidades, intereses y valores que son únicos y que sólo usted puede desarrollar a plenitud. Hay un destino que sólo usted puede alcanzar. Pero antes de todo, usted necesitará definir lo que desea realizar, lo que estaría dispuesto a hacer simplemente porque sí. Descubra para qué es bueno. Descubra que es lo extremadamente importante para usted. Descubra su propósito en la vida.

¿Cuáles son sus más grandes dones? ¿Qué dicen otras personas sobre lo que usted hace bien? ¿Para qué le han preparado sus experiencias en la vida, únicas e intransferibles? ¿Qué le gusta hacer tanto que hasta lo haría gratis?

Recuerde que nunca podrá hacer su sueño realidad si primero no descubre lo que éste es. Si no puede visualizarlo, no podrá conseguirlo. Y una vez tenga claro cuál es su sueño, dedique su vida a hacerlo realidad, entréguese a hacer realidad su visión, usted lo merece. Por eso es que está aquí. Así es como hará la diferencia en el mundo. Así es como será recordado. Es su legado.

Póngalo en práctica:

Dedique algún tiempo de calidad a pensar en sus sueños y en sus talentos naturales; luego, dedique el resto de su vida a buscar la realización de sus sueños.

“Si uno avanza con confianza en la dirección
de sus sueños, alcanzará el éxito en las horas
en las que está despierto.”
- Henry David Thoreau

PARTE DOS

EMPRENDA LA ACCIÓN

INICIANDO MI APRENDIZAJE DE LUGE EN LAKE PLACID, 1984.

La fuerza de un equipo

En noviembre de 2006, mi buen amigo Greg Reid y yo estábamos conversando que debiera haber una película que tratase sobre el tema de alcanzar el éxito en la vida, una producción que le enseñara a personas de todas las edades aquellos principios universales del éxito, que fueran aplicables a cualquier persona, todo el tiempo y en cualquier lugar.

En aquel momento, ni Greg ni yo teníamos ninguna experiencia en realizar una película. Pero, eso no importaba. Nos entusiasmamos con la idea y nos comprometimos a hacerla realidad.

Tan solo dos semanas después, Greg había encontrado un estudio en Hollywood, un director, un productor, personal de cámaras, editores, músicos, etc. Como puede ver, no importa mucho si usted tiene el conocimiento para realizar su sueño. Si lo tiene, estupendo. Si no, conforme un grupo de personas que lo tengan.

Teníamos a la gente de la producción de la película en su lugar. Ahora debíamos encontrar a las personas más exitosas de Norteamérica para entrevistarlas. Empezamos a hacer llamadas telefónicas. Al principio nadie quiso involucrarse, no obstante continuamos haciendo las llamadas. Winston Churchill dijo: "Si necesita atravesar el infierno ¡hágalo!"

Continuamos haciendo llamadas. Entonces, de repente, empezamos a encontrar presidentes de compañías, autores de *best-sellers,* oradores de prestigio, inventores y atletas. Después de algún tiempo, la gente empezó a llamar y a querer estar en la película. Como se puede ver, la ley de la atracción funciona mejor si se pone en práctica. Es la acción detrás de la atracción lo que hace los sueños realidad.

Nuestra película se llama “Pass It On (Pásalo).” Se trata de aprender los principios del éxito, aplicarlos en su vida y compartirlos con otros.

“Pass It On” fue presentada en el festival de cine de Sundance; tuvo su máxima premier en la historia de Las Vegas y rápidamente se está convirtiendo en la película más popular de su género. Nada mal para un par de aficionados que ni siquiera saben operar una video cámara.

Recuérdelo, si el “por qué” es lo suficientemente fuerte, el “cómo” se encargará de lograrlo. Si usted está comprometido con su sueño y está dispuesto a hacer el trabajo, no importará mucho si no tiene todo el conocimiento y los recursos. Reúna a un equipo de gente comprometida que tenga los recursos y el conocimiento y que pueda hacer su sueño realidad. Y recuerde, es la acción detrás de la atracción lo que convierte los sueños en realidad.

Póngalo en práctica:

Comprométase a alcanzar sus sueños. Entonces, utilice su entusiasmo para atraer a la gente, conforme un equipo y haga realidad sus sueños más preciados.

Actúe a pesar del temor

Cuando era niño y vi por primera vez unos olímpicos, lo que más me impresionó de los atletas no fue su habilidad. Lo que más admiré fue su espíritu. Usted sabe, los atletas son personas que tienen un sueño y el valor de comprometerse completamente durante años sin ninguna garantía de éxito.

Los atletas, por cierto, demuestran habilidad atlética sobresaliente, pero más importante aún, evidencian fe, coraje, audacia y la disposición de luchar sin ninguna garantía de éxito. Cuentan con esa escasa actitud de no preocuparse por la posibilidad del fracaso. Se resuelven a ir por la medalla de oro y se comprometen 100% con ganar, no importa lo que eso implique. Es como si se dijeran a sí mismos: "¡Es mi sueño y voy a lograrlo, y eso es todo, punto!"

Cuando usted actúa con valor respecto a sus metas y toma la decisión de hacer lo que sea necesario, es como si sucediera algo mágico. De repente vienen fuerzas invisibles en su ayuda. Mientras más comprometido y decidido esté, más trabajará su subconsciente a favor suyo. De forma inconsciente empezará a atraer a las personas y los recursos necesarios para alcanzar su meta.

Cuando usted se concentra en su meta, su mente empieza a actuar como un misil teledirigido. Se sintoniza con todo lo que pueda ayudarle a cumplirla. Por ello es que se dice que la fortuna favorece a los valientes y que la audacia tiene un cierto halo de magia.

La gente empezará a decir que usted es afortunado. Pero los ganadores saben que no existe la suerte. Lo único que verdaderamente está pasando es que usted ahora está enfocado. Usted se dará a conocer por su meta. Todo el mundo podrá notarlo. Cada acción que usted realice estará comunicándole al mundo la dirección hacia la cual se dirige, y de repente, las personas que están en condición de ayudarlo, se dan cuenta que usted va en serio.

Cuando usted invierte toda su energía en su meta, se conecta a un enorme potencial de recursos. Esa simple decisión lo cambia todo. Toda la tensión y el estrés desaparecen. Su actitud mental cambia completamente y usted se transforma en un cazador, mientras que su sueño se convierte en la presa, que en algún momento usted atrapa.

Cuando usted toma la decisión de comprometerse un 100%, el ganador que hay dentro de usted surge, se exterioriza, emerge, la verdadera persona interior se muestra al mundo. Lo único que usted necesita es enfrentar sus temores y perseguir su sueño.

Póngalo en práctica:

Decida que el fracaso no es una opción para usted y emprenda acciones firmes en la persecución de sus metas y sueños. Busque a un mentor o entrenador que le ayude a alcanzar sus metas en tiempo récord.

La fortuna favorece a los valientes

Los temores son como una cortina de humo. Son como fantasmas que nos alejan para lograr lo mejor. Está bien asustarse. ¡Todo el mundo lo hace! Lo que no está bien es dejar que los temores se apoderen de lo mejor de nosotros. Las personas exitosas aprenden a actuar a pesar de sus temores. Eso es lo que la valentía implica: actuar, a pesar de los temores.

La valentía es algo que puede cultivarse. Aristóteles dijo: "Usted se convierte en lo que hace repetidamente." La manera de convertirse en una persona valiente es practicar la valentía en cada situación que se requiera. ¿Cómo se puede hacer eso? Tomando decisiones de calidad. Uno llega a aprender que cuando teme hacer algo, sencillamente está siendo probado. Tome la decisión de que de ahora en adelante triunfará sobre sus temores. Recuerde: si uno hace lo que teme, el temor desaparece. Si uno no lo hace, el temor termina controlando su vida.

Haga que el conquistar sus temores se convierta en un juego. Puede comenzar con cosas pequeñas. Por ejemplo, si con frecuencia usted espera que otros sean los que hacen su pedido en un restaurante, la próxima vez sea el primero en ordenar. Al hacerlo, experimentará una pequeña victoria personal. Sencillamente dominará su temor. La próxima vez que esté hablando con alguien y tema hacerle una pregunta por temor a parecer tonto, pregunte de todos modos y tome nota de ello, habrá ganado otra victoria personal. Marcador final: Temores 0 - Valentía 2.

Usted necesitará ganar muchas pequeñas victorias antes de obtener una gran victoria. Cuando sea consciente de sus temores y haga del conquistarlos su sueño, muy pronto aprenderá, en su corazón, que los temores son simplemente cortinas de humo. Y al jugar ese juego día tras día, usted se hará más valiente cada vez más.

Póngalo en práctica:

Convierta en un juego el mirar al temor de frente. Comience a hacer lo que teme y vea cómo éste desaparece. Empiece experimentando algunas pequeñas victorias personales y luego empiece a experimentar victorias más significativas.

Empiece y no se rinda

La valentía se compone de dos elementos que conducen al éxito. La primera parte es la disposición para empezar, para actuar por fe, para dar pasos decididos en dirección a la consecución de las metas, aún cuando no haya garantía de éxito. La segunda parte es la disposición de aguantar, de persistir, de rehusar rendirse y de continuar trabajando duro, más que todos los demás.

La mayoría de las personas hablan de abandonar antes de intentarlo. Muchos que lo intentan abandonan sus ideales cuando las cosas se ponen difíciles. Esto es muy triste porque todas las personas tienen la posibilidad de hacer que sus sueños se conviertan en realidad. Y es muy triste que sólo unas pocas personas demuestren la voluntad de hacer lo que sea necesario para alcanzar sus metas.

Por eso es que nos gustan las historias de los desvalidos. Por eso es que nos gustan películas como "Rocky" o "Rudy." Nos gustan esas historias porque todos nosotros nos hemos sentido como los protagonistas en alguna ocasión. Cuando vemos que el desvalido gana nos da esperanza de que nosotros podemos ganar también.

Una vez que usted inicie el camino para hacer de sus sueños una realidad, debe tomar la decisión de nunca abandonarlos. Tomar esa decisión tiene una gran ventaja y es que las personas que demuestran mayor determinación en la vida son las que suelen ganar.

Un estudio acerca de las metas y la perseverancia demostró que el 95% de las metas que la gente se fija se alcanzan– siempre y cuando las personas no se den por vencidas. ¡Noventa y cinco por ciento! Eso es casi una garantía de que si usted rehúsa abandonarlas, con el tiempo obtendrá la victoria. La principal razón por la que las personas fracasan no es debido a la falta de habilidad o de oportunidades. Fracasan por su falta de fortaleza interior para persistir frente a los obstáculos y dificultades.

No tema equivocarse. Los errores son una forma de aprendizaje. Uno puede fracasar una y otra vez, pero todo lo que se requiere es obtener un gran éxito para borrar todos los fracasos anteriores. La única vez que puede darse el lujo de fracasar, es la última vez que lo intente. Mientras más persista, más creerá en sí mismo. Y mientras más crea en sí mismo, más persistirá. La persistencia que usted demuestre evidenciará cuanto cree en usted y cuanto cree en su habilidad para alcanzar el éxito. Si usted actúa como si tuviera el éxito asegurado, su creencia aumentará. Ello se debe a que la emoción sigue a la acción. Lo que usted haga determinará la forma cómo se sienta. Actúe a pesar de sus temores y comprométase a no darse por vencido, y le prometo que el ganador que hay dentro de usted saldrá radiante a conquistar la victoria.

Póngalo en práctica:

Comience por desarrollar fe. Deje de esperar hasta que todo sea perfecto para emprender la acción. Busque a un socio que le anime a perseguir sus sueños. Haga su mejor parte, como si se tratase de un atleta olímpico, y busque a un entrenador o mentor que le anime a esforzarse por lograr lo mejor.

Cómo emprender la acción

¿Cómo se consigue la fuerza para continuar haciendo lo que se debe día tras día? ¿Cómo lograr hacer lo que se debe hacer, de forma consistente?

Esto, como cualquier otra cosa, es un juego mental. La mejor manera de ganar una batalla mental es utilizar todo su arsenal al mismo tiempo. Utilice una variedad de estrategias para cumplir su cometido. Las personas exitosas emplean las siguientes técnicas:

1. Concéntrese de forma consistente en su sueño. Concéntrese en las cosas que le impulsan a emprender la acción.
2. Haga una lista de sus metas y léala a diario.
3. Visualice de forma constante lo que sentirá cuando alcance su meta (haga que su deseo trabaje por usted).
4. Utilice afirmaciones positivas cuando llegue un pensamiento negativo a su mente.
5. Comparta sus metas con personas que puedan apoyarle.
6. Encuentre a alguien que le ayude a realizar lo que usted por sí solo no pueda lograr.

Usted necesitará luchar en todos los frentes. Desarrolle el hábito de controlar sus pensamientos, de lo contrario, sus pensamientos lo controlarán a usted.

Póngalo en práctica:

Tome la decisión de hacer lo que sea necesario para emprender acciones consistentes y persistentes hacia la realización de sus metas. El éxito ocurre únicamente cuando se emprende la acción. Busque un mentor o alguien que lo apoye para realizar sus objetivos.

Si no se demuestra valor, no se alcanza la gloria

Usted conoce muy bien lo que le gustaría alcanzar. Siempre está pensando en ello. Con sólo pensarlo su piel cosquillea. La idea de hacer ese sueño realidad lo hace sentir vivo, entusiasmado, y lo anima produciéndole sentimientos de ansiedad.

Pero algo lo está deteniendo. ¿Qué ocurre si lo intenta y fracasa? ¿Cómo podría soportarlo? ¿Qué pensarán los demás? El temor al fracaso impide que las personas vayan tras sus sueños. Cada día que uno vacila, el temor crece.

¡El temor es sólo una cortina de humo! Le reto a actuar a pesar de sus temores y le aseguro que al final estará feliz de haberlo hecho. Sin importar los resultados, se sentirá orgulloso de sí mismo. Y aún si fracasa (lo que significa que sencillamente deberá intentar con otro enfoque), otros le animarán a tener valor y actuar con valentía.

¡Hágalo! El sólo hecho de hacerlo lo pondrá en la cima del 5% de la población. ¿Por qué? Porque al 95% de la gente le da temor perseguir sus sueños.

La única cualidad que diferencia a las personas más exitosas de las que no lo son es la iniciativa. Ésta implica asumir la responsabilidad y emprender la acción cuando uno se da cuenta de que se debe hacer algo. Implica moverse decididamente y con rapidez.

La iniciativa implica tomar riesgos, salirse con frecuencia de la zona cómoda, y hacer aquello que las personas promedio no están dispuestas a hacer. Usted puede hacerlo. Tiene todo para lograrlo. Yo sé que sí. Lo sé porque yo también soy una persona promedio que logró realizar algunas cosas asombrosas, únicamente porque estuve dispuesto a salirme de mi zona cómoda.

Créame, cuando usted demuestre total compromiso con su sueño y empiece a actuar decididamente para lograrlo, el mundo conspirará para hacer que sus sueños se hagan realidad.

¿Tendrá el valor de hacerlo? Si está leyendo este libro, creo que sí tiene ese valor. ¡Simplemente, hágalo!

Póngalo en práctica:

Imagine lo terrible que sería su vida si no intentara alcanzar sus sueños... Imagine lo emocionante que será su vida si se dedica a perseguir sus sueños. Cuando sus nietos le pregunten qué hizo con su vida, ¿les dirá que la tomó suave o les fascinará con las historias de sus aventuras? Busque a un mentor que le ayude a alcanzar lo mejor en la vida.

Dése una oportunidad

Las personas más exitosas en el mundo asumen riesgos. Tan pronto como ven una oportunidad, actúan y hacen que las cosas sucedan. Poseen una cualidad que los distingue de aquellos menos exitosos. Toman la iniciativa en todo lo que hacen. Ellas asumen su responsabilidad y emprenden la acción cuando se dan cuenta de que se necesita hacer algo. No sufren de parálisis de análisis. Sencillamente hacen cualquier cosa lícita que los acerque a su meta.

Al emprender la acción – acción decidida, toman impulso y las cosas empiezan a suceder. Mi patrocinador suele decir: "La mayoría de las personas necesita pensar menos y actuar más." Otro de mis mentores siempre dice: "Hecho es mejor que perfecto." Otra forma de decirlo es: impleméntelo ahora, perfecciónelo más tarde. Si uno desea alcanzar el éxito debe estar dispuesto a fracasar. Alcanzar un éxito en grande, implica estar dispuesto a fracasar en grande. Alcanzar el éxito rápido, implica estar dispuesto a fracasar rápido.

Las personas exitosas están dispuestas a probar diferentes alternativas para alcanzar sus metas. No se preocupan por el fracaso. Se concentran sólo en el resultado. Arrojan el barro sobre la pared, sabiendo que si arrojan suficiente, algo se quedará pegado. Nunca se concentran en las alternativas que no funcionaron. No hay tiempo para eso. No se hunden en la autocompasión de los perdedores. Los ganadores simplemente aprenden de sus errores e inmediatamente intentan una nueva alternativa.

Mientras más rápido se mueven, más energía obtienen. Mientras más ensayan diferentes métodos, mayores posibilidades de éxito tienen. Hacen de ello un juego, y nunca pierden de vista la meta. Su actitud es: "existe una manera, yo la encontraré, yo triunfaré".

Una encuesta nacional de octogenarios reveló que su mayor pesar en la vida tenía que ver con no haber asumido suficientes riesgos. ¡Piense en ello! Lo que están diciendo es que se dieron cuenta de que no vivieron la vida a plenitud y que se perdieron de oportunidades. Cuando usted cumpla 80 años, de seguro no querrá tener ese pesar. Así que, inténtelo, dése una oportunidad. Haga algo, y estará feliz de haberlo hecho.

Póngalo en práctica:

¿Va a intentarlo o no? Si no lo va a intentar, le aconsejo dar este libro a alguien que lo pueda aprovechar. ¿Está molesto? Eso espero. La mayoría de las personas no hacen nada hasta cuando están molestos. Pero, por favor, no desgaste ese enojo en mí. Más bien, utilícelo para ir tras sus sueños. El enojo positivo se convierte en pasión. Deje de analizar cada cosa. Piense menos y actúe más. Recuérdelo, usted es digno de alcanzar sus sueños.

"Un hombre no es mucho al momento de nacer;
un hombre es lo que él hace de sí mismo."
—Alexander Graham Bell -

PARTE TRES

ESTABLECER METAS Y PLANEAR POR ADELANTADO

FINAL DE UNA CARRERA DE LUGE, LAKE PLACID, 1984.

La gente exitosa se fija metas

Las personas más exitosas en el mundo son extremadamente orientadas hacia las metas. Saben exactamente lo que quieren y se concentran en alcanzarlo.

Las metas lo mantienen a uno enfocado, motivado e incrementan la confianza. Cuando uno tiene metas evita ir sin rumbo por la vida.

La mayor diferencia entre las personas exitosas y las que no lo son tiene que ver con la forma como piensan. Las personas exitosas piensan en lo que quieren y en la forma de obtenerlo. Las personas que no tienen éxito piensan y hablan de lo que no desean. El establecer metas le ayuda a uno a concentrarse en lo que desea lograr.

Quienes establecen metas tienen vidas más significativas y llenas de propósito. Logran un mayor control de su destino y, por lo tanto, son más felices. Las personas obtienen mayor felicidad cuando hacen cosas que contribuyen a la realización de sus metas. Fijarse metas es tan estimulante que le aseguro que con solo pensar en ellas se dibuja una sonrisa en su rostro.

Uno debe fijarse metas claras, definidas y muy específicas. También debe ponerlas por escrito. Además, debe existir la forma de medir el nivel de logro de las metas. Uno debe poder saber cuándo las ha alcanzado.

Escriba sus metas todos los días. Hacerlo sólo toma un par de minutos. Convierta en una costumbre escribir sus metas antes de encender su computador. ¡Lo reto a que lo haga! Le garantizo que si lo hace durante un año, su vida cambiará dramáticamente.

Hable de sus metas con otras personas. Vea si puede lograr que ellas escriban *sus* metas. Esta es una forma de lograr un gran impacto en sus vidas. Y recuerde enfocarse en el por qué ha establecido esas metas. El "por qué" es la fuerza guiadora.

Una vez que empiece a escribir sus metas, a hablar y a pensar en ellas, empezará a guiar el misil teledirigido del éxito, y no fallará.

Póngalo en práctica:

¿Qué clase de persona desea ser? ¿Qué quiere lograr? ¿Qué desea obtener? Escríbalo. Pero no lo escriba simplemente. Emprenda la acción. ¿Qué puede hacer en los próximos 15 minutos que le ayudará a acercarse a sus propias metas? ¡HÁGALO AHORA! Encuentre un mentor o alguien que le ayude a hacerse responsable de alcanzar sus metas.

Cómo establecer metas como un campeón

En lo relacionado con las metas exitosas existen cuatro pasos básicos que se deben seguir. Primero escoja una meta; luego, visualícese alcanzando esa meta. Después, escoja una cualidad que le ayude a alcanzar su meta, y finalmente, desarrolle un hábito que le permita impulsarse hacia la consecución de esa meta.

¿Qué cambios le gustaría realizar en su vida que le resulten motivadores con sólo pensarlo? ¿Qué le fascinaría hacer? ¿En qué situación le gustaría estar de aquí a diez años? ¿Cuál es su sueño? Saber la respuesta a estas preguntas es bueno, pero no es suficiente. Si uno desea alcanzar su meta, necesita materializarla. ¡Escríbala! Al principio no se preocupe respecto a la forma en la que convertirá su sueño en realidad. Ocurre algo mágico cuando uno pone por escrito sus sueños. El hacerlo, constituye el primer paso para convertir un sueño que se podría alcanzar, en algo posible de alcanzar.

En varias ocasiones durante el día cierre sus ojos y durante algunos instantes imagine lo que sentirá cuando alcance su meta. Siéntalo como una realidad. Haga de cuenta como si en realidad lo estuviera experimentando en este mismo momento. ¡Entusiásmese! Su subconsciente no sabe la diferencia entre la realidad y la imaginación. Esto lo llena a uno de entusiasmo respecto a sus metas, su convencimiento se hace inquebrantable. Uno pasa de un estado mental de ilusión al de convicción.

El tercer paso para alcanzar la meta es determinar qué cualidad será la esencial para lograrla. ¿Acaso será arrojo?

¿Creatividad? ¿Entusiasmo? ¿Paciencia? ¿Liderazgo? En mi caso fue la perseverancia. Para ser bueno en el deporte de *luge*, sabía que iba tener que soportar muchos choques y lesiones, y sencillamente evitar darme por vencido. De modo que tomé la decisión de cultivar la perseverancia. Alguien dijo alguna vez: "La mayor diferencia entre una persona exitosa y una que fracasa es que la primera lo intenta una vez más." Yo decidí ser perseverante y siempre he intentado una vez más.

Finalmente, usted necesitará desarrollar nuevos hábitos que le ayuden a alcanzar su meta. Los buenos hábitos no ocurren por casualidad. Usted necesitará implementar un plan específico para desarrollarlos. Consiste simplemente en escoger una acción que le ayude a desarrollar una cualidad. Decida cuándo ha de practicar ese hábito, sabiendo que tendrá que repetirlo muchas veces.

Puesto que en mi caso la perseverancia era la cualidad más importante para alcanzar mi meta, me fue necesario encontrar maneras de cultivarla. Tenía que hacerme bueno para no darme por vencido. De modo que decidí convertirme en un experto en perseverancia. Leí libros sobre personas que habían enfrentado grandes obstáculos y que rehusaron abandonar la lucha. De allí concluí que si ellos fueron capaces de lograrlo, yo también podría hacerlo. Tomé la decisión de que sin importar cuán severo fuera un choque, volvería a montarme en mi trineo. Tenía una foto de un deportista de *luge*, montando en su trineo, y me inspiraba en esa foto recordando que debía volver a montar en mi trineo.

Al seguir estos cuatro pasos, estuve en capacidad de transformar mis metas en hábitos, lo que al final me ayudó a alcanzar mi sueño. Si, de igual forma, usted se compromete a seguir estos cuatro pasos, también estará en condiciones de realizar sus sueños y metas.

Póngalo en práctica:

¿Cuál es su meta? Cierre sus ojos e imagine vívidamente lo que experimentará, el sabor, el olor y la apariencia de su meta realizada. ¡HÁGALO!... ¡AHORA! ¿Qué cualidad necesita desarrollar para alcanzar su meta? ¿Qué nuevo hábito necesitará cultivar para alcanzar su meta? Una vez considerado esto, emprenda acciones consistentes y persistentes que lo lleven a la consecución de sus logros.

Las personas tienden a sobreestimar lo que pueden hacer en un año y a subestimar lo que pueden lograr en cinco años. Cuando fije una meta para cinco años, asegúrese de que sean metas imponentes, que lo dejen sin aliento.

El primer paso en su viaje

Imagínese que usted va a llevar a su familia en un viaje en el que va a atravesar el país desde la ciudad de Los Ángeles hasta Nueva York.

El primer paso sería determinar exactamente dónde está usted y a dónde desea llegar. También conseguiría un mapa (un mapa de Europa no sería útil) y planearía la ruta.

Si encuentra obstáculos en su camino, usted seguramente haría desvíos y usaría rutas alternas. No obstante, su destino final, la ciudad de Nueva York, no cambiaría.

La vida se parece mucho a un viaje como ese.

Uno decide dónde desea ir, y determina exactamente dónde está y establece un plan. El plan debe ser flexible y se deben tener en cuenta las circunstancias inesperadas. Sin embargo, el destino final debe ser muy definido.

Otra forma de decir esto es: "Escribe tus planes en la arena pero tus sueños y metas en la roca."

Un piloto de avión que vuele desde Los Ángeles a Nueva York hace exactamente lo mismo. El noventa y nueve por ciento del tiempo navega fuera de la ruta (el viento le desvía), pero no se desanima por ello. Simplemente durante el trayecto continúa haciendo las correcciones necesarias a fin de alcanzar su destino.

Ya en la parte final del vuelo, el piloto realiza cientos de pequeños ajustes a fin de aterrizar seguro en la pista.

Usted deberá ser absolutamente franco respecto al sitio exacto donde se encuentra su punto de partida. De otro modo, ni los mejores planes le ayudarán. Usted tendrá que hacer un inventario completo a fin de conocer bien cuáles son sus fortalezas y debilidades. Es muy importante que uno conozca sus debilidades para determinar la ayuda que pueda necesitar.

Pregúntese: ¿Cómo llegué a estar en mi situación actual? ¿Qué hice bien? ¿Qué pude haber hecho de forma diferente?

Uno siempre puede aprender del pasado. Resulta conveniente revisar las lecciones del pasado a fin de estar mejor preparado para el futuro.

Ahora que sabe dónde está y a dónde quiere ir, la siguiente pregunta que necesita hacerse es: ¿Qué necesito hacer para ir desde donde estoy hasta mi meta final?

Y... ¿qué no debería hacer? ¿Con quién debería pasar más tiempo? ¿Qué actividades o personas me están impidiendo lograr lo que quiero?

Cuando uno se toma el tiempo para considerar dónde se encuentra y a dónde quiere ir, así como la ruta indicada a seguir, ahorra meses y hasta años, en su viaje.

Póngalo en práctica:

Hágase preguntas pertinentes que le ayuden a desarrollar un plan de acción. ¿Dónde se encuentra? ¿A dónde desea ir? ¿Qué recursos necesitará? ¿Qué necesita hacer para llegar donde quiere? Una vez hecho esto, emprenda la acción y prepárese para hacer ajustes durante el viaje.

Enfoque, sin él no tendrá éxito

Permanecer enfocado no es un asunto opcional si usted verdaderamente desea realizar sus sueños. Permanecer enfocado en su sueño es un asunto vital para que pueda convertir ése sueño en realidad.

En 1984, cuando tomé la decisión de involucrarme en el *luge* y de participar en los olímpicos, tomé una foto de un corredor de *luge*, la imprimí en un tamaño de 8 x 10 pulgadas y la colgué en una pared frente a mi cama. La primera cosa que veía cada mañana era al "deportista de *luge*." Y todas las noches soñaba con el *luge* y con los olímpicos.

Nunca conocí al "Deportista de *luge*," pero es uno de mis héroes. Me ayudó a enfocarme en mis objetivos y fue uno de los factores que me ayudaron a hacer mi sueño realidad.

Yo no soy la única persona cuyo sueño se enfocó a través de una fotografía. La gran depresión no fue amable con el legendario hotelero Conrad Hilton. Después de la caída de 1929, la gente no viajaba y si lo hacía no se hospedaba en los hoteles que Hilton había adquirido durante el *boom* de la década de 1920.

Para el año 1931 los acreedores de Hilton amenazaban con liquidar la deuda, tenía empeñada hasta su ropa y pedía dinero prestado de un joven que trabajaba como botones para poder comer. Ese año, Hilton se topó con una fotografía del hotel Waldorf con sus seis cocinas, 200 cocineros, 500 meseros, 2.000 habitaciones, su hospital y su ferrocarril privado. Hilton recortó la fotografía de la revista y escribió sobre ella: "El más grande de todos."

En el año 1931, Hilton escribió más tarde que era una época donde era "presuntuoso y atrevido soñar." No obstante, puso la foto del Waldorf en su billetera, y cuando de nuevo tuvo un escritorio la puso bajo el vidrio que lo protegía. Desde ese momento en adelante la fotografía siempre estuvo frente a él. Y a medida que continuó trabajando y obtuvo otros escritorios más grandes, continuó poniendo la foto bajo el vidrio. Dieciocho años después, en octubre de 1949, Conrad Hilton compró el Waldorf.

Esa foto le dio forma y sustancia al sueño de Hilton. Había algo en su mente sobre lo cual enfocarse. Se convirtió en la clave de su comportamiento.

¿Cuán enfocado está usted en alcanzar su meta? ¿Es su obsesión? ¿Escribe usted su meta todos los días? Necesitará hacerlo. Escribir su meta diariamente constituye un acto de compromiso que lentamente se convierte en un misil teledirigido que no puede fallar.

¿Se rodea usted de fotos relacionadas con su meta? Si su meta es conducir un Mercedes, ¿conduce con alguna regularidad un Mercedes de prueba? ¿Tiene una suscripción a la revista Mercedes? Necesitará hacerlo.

Póngalo en práctica:

Rodéese de fotos relacionadas con sus metas y sueños. Imagine vívidamente cómo será el momento cuando realice sus metas y sueños. Y sea paciente. Concédase tiempo. Recuerde, Hilton adquirió el Waldorf 18 años más tarde, no 18 meses más tarde.

Retroalimentación – El desayuno de los campeones

Hay una actividad sencilla que usted puede empezar a hacer ahora mismo para mejorar todos los aspectos de su vida. Es algo que no toma mucho tiempo, pero que sí lo ahorra. Y aquello es, solicite retroalimentación de personas calificadas – un entrenador.

En el *luge,* tan pronto como nos bajamos del trineo, inmediatamente tomamos un radio y hablamos con nuestro entrenador.

Observe que no llamamos a los trabajadores de la pista ni a los admiradores para pedir retroalimentación. Ellos simplemente vieron nuestra carrera. Todo lo que vieron fue un cuerpo que se deslizaba por un tobogán de hielo. Ni los trabajadores de la pista ni los admiradores están calificados para darnos retroalimentación de calidad. El entrenador sí lo está. El entrenador está calificado porque él mismo fue campeón mundial tres veces y porque él puede ver cosas que nosotros no podemos ver. A medida que pasamos frente a él a casi 150 kilómetros por hora, sus ojos entrenados se percatan de pequeños detalles que pueden ayudarnos a realizar mejoras.

El entrenador puede decir: "Rubén, ibas retardado en la curva seis. Cuando entraste a la curva, ibas cinco pulgadas a la izquierda de la pared, necesitas estar a dos pulgadas. Tuviste una pequeña inclinación en la mitad de la curva. Procura mantenerte erguido. Moviste tu pie izquierdo cuando saliste de la curva. Necesitas relajarte y confiar en el trineo. Y, por último, parecía que tu hombro derecho estaba inclinado. Asegúrate de acomodarte bien en el trineo desde el principio, de modo que tu posición no te desvíe de la pista."

El entrenador puede ver todos mis errores y me indica cómo mejorar.

Más tarde, ese mismo día, después de la cena, vemos los videos de nuestras carreras y así podemos observar lo que el entrenador vio. Durante la noche pensamos en la retroalimentación que hemos recibido, y diseñamos una estrategia para mejorar al día siguiente.

Eso es lo mismo que se necesita hacer en todos los aspectos de la vida. Encuentre personas calificadas que puedan darle retroalimentación de calidad, de modo que pueda mejorar en todas las áreas de su vida. De esta forma podrá hacer de su vida una obra de arte. Busque a un mentor, a un entrenador, o a alguien que le ayude a acelerar su camino hacia el éxito.

La mayoría de las personas no están dispuestas a dar retroalimentación simplemente porque sí. De modo que usted tendrá que solicitar dicha retroalimentación. Existen muchas maneras de hacerlo. Por ejemplo, usted podría preguntar a alguien: "En lo que a mí concierne, ¿cómo me ve? ¿Qué cosas puedo hacer para mejorar? O, en la escala de 1 a 10, ¿En cuánto evaluaría mi desempeño? ¿Qué hay de mi trabajo en el último trimestre? ¿Cómo son mis habilidades comunicativas?"

Si la respuesta es menor a 10, pregúntese: "¿Qué me hace falta para llegar a 10?" La información que obtenga será muy importante. Será información específica que le ayudará a mejorar.

La mayoría de las personas sienten temor de pedir retroalimentación. No deberían sentirlo. Es mejor saber la verdad. Cuándo uno sabe la verdad puede hacer algo al respecto. ¿Qué tal que yo me hiciera el arrogante y no tomara el radio? Podría estar pensando que mi carrera de *luge* está en 10 cuando en realidad está en 7. Continuaría cometiendo los mismos errores. Nunca mejoraría.

Siempre que alguien le de consejos para mejorar, agradézcalos. Hágales saber su aprecio por el interés que ellos manifiestan por usted y por estar dispuestos a compartir esa información. Y una vez recibido el consejo, aplíquelo sobre la marcha y observe cómo su progreso se acelera.

Póngalo en práctica:

Pida retroalimentación a personas calificadas. Agradezca su consejo, e inmediatamente implemente acciones de mejora con la nueva información.

Mida su progreso

A medida que usted establezca metas y empiece a trabajar por ellas, resultará fundamental que establezca puntos de referencia, de modo que pueda medir su progreso. Así ahorrará tiempo porque mientras más específicos sean esos puntos de referencia, más rápido alcanzará sus metas.

La mente subconsciente funciona mejor cuando uno establece metas con límites de tiempo específicos. Así, la mente subconsciente actúa como un piloto automático que lo lleva en dirección a sus metas. Funcionará como un radar sintonizado para detectar cómo puede ayudarle a alcanzar sus metas.

También es importante identificar todas las actividades que necesitará realizar para hacer cumplir sus sueños. Una vez que identifique aquellas tareas, deberá clasificarlas en orden de importancia y concentrarse primero en desarrollar las tareas más importantes.

Es posible que necesite descomponer cada tarea en varias partes. Cada "sub-tarea" deberá tener una fecha límite para completarla. Las fechas límite dan un sentido de urgencia y lo impulsan a uno a la acción. Por ejemplo, imagine que usted quisiera, durante los próximos siete años, escalar las montañas más altas de los siete continentes, conocidas como Los siete picos. Usted necesitará saber todo lo relacionado con el montañismo, deberá encontrar guías, determinar el mejor orden para escalarlas, y concentrarse en la primera tarea: escalar el Kilimanjaro.

La tarea de escalar el Kilimanjaro deberá ser subdividida en varias partes: Adquirir un excelente estado físico, financiar la expedición, aprender cómo se hace, encontrar guías, adquirir el equipo de montañismo, etc.

Tal vez sea necesario subdividir cada una de esas subtareas. Por ejemplo, a fin de poder estar en buena forma física, es posible que necesite cambiar su dieta, adquirir un estado físico de maratón, perder 30 libras, etc.

Lo que se debe hacer, entonces, es comenzar fijando la fecha límite y a continuación establecer plazos de tiempo para cada etapa, según sea necesario completarla. Si usted no fija un límite de tiempo, dada la naturaleza humana, nunca hará lo necesario para completar la meta.

Una vez que usted establezca límites de tiempo y emprenda la acción, se sorprenderá de lo estupendo que se siente verificar que las tareas se van completando. Por anticipado usted estará creando el momento y cuando el momento sea el apropiado, todas las partes del proceso parecerán más fáciles y divertidas.

A lo largo del proceso deberá llevar registros precisos y medir su progreso ya que lo que no puede ser medido no puede ser administrado.

Sin depender de la meta que usted se fije, usted podrá enfocarse en tareas pequeñas que puedan ser medibles para monitorear su progreso. Si usted desea mejorar sus ventas, puede enfocarse en el número de llamadas que realiza cada día. Si desea ser ascendido en su lugar de empleo, puede solicitar a su jefe que le indique tareas específicas en las que puede concentrarse para hacerse un empleado más valioso. Si desea mejorar su relación con otra persona podría concentrarse en ver cuántos minutos pasa al día conversando con ella.

Comience por buscar formas de medir sus metas, sus tareas y su desempeño. Observará cómo logra ser más exitoso en todo lo que hace.

Póngalo en práctica:
Divida sus metas en partes pequeñas y medibles. Ejecútelas una por una. Mantenga buenos registros y evalúe su progreso.

Planes de juego para el éxito

Todo el mundo desea ganar. Pero querer ganar no es suficiente. Usted debe estar dispuesto a prepararse para lograrlo. Sin importar cuantas veces haya estado en una pista de *luge,* antes de correr en ella, "recorremos la pista" con el entrenador.

Una semana típica durante la copa mundial de *luge* transcurre de la siguiente manera. De martes a viernes, realizamos entrenamiento y evaluamos las carreras. El sábado y el domingo corremos. Los lunes son para viajar a la siguiente pista.

Dentro de Europa nos transportamos en furgonetas para ir de pista en pista. Para las carreras fuera de Europa, volamos. Pero sin importar cuánto hayamos estado viajando, sin importar cuán cansados estemos; sea que hayamos viajado en furgoneta durante doce horas desde Innsbruck a Sarajevo, o si hemos volado durante diez horas desde Europa hasta Calgary, antes de ir al hotel, recorremos la pista.

Vamos hasta la cima de la pista y durante dos horas, literalmente caminamos la pista, deslizándonos y resbalándonos por la ruta, lo hacemos planeando con precisión las líneas que tomaremos durante el entrenamiento. El entrenador conoce las mejores rutas. Él fue campeón mundial tres veces. El entrenador sabe el atajo hacia el éxito. Nosotros seguimos al entrenador y tomamos nota cuidadosamente de todo lo que él dice.

Por lo general, ocurre lo siguiente: "Muy bien, muchachos, esta es la curva número tres. Ustedes deberán abordarla tan pronto como puedan. En este punto no deberán estar a más de tres pulgadas de la pared izquierda. Aquí, giren con la fuerza de tres (donde cero es ir derecho y diez es girar lo máximo). Allá en el ramal de expansión, giren en cinco. Más allá, frente a esa señal, sosténganse un poco, y al final, corran con todas sus fuerzas, pero recuerden contrarrestar el giro, de lo contrario se estrellarán con la pared."

Escribimos con fervor cada palabra que él dice. Algunos de nosotros hasta lo grabamos. Cuando llegamos al hotel, no vamos directo a descansar. Memorizamos lo aprendido y empezamos a visualizar la carrera perfecta.

¿Qué sucedería si yo le dijera al entrenador: "Entrenador, no me estoy sintiendo bien, podría simplemente dejarme en el hotel?"

¿Sabe lo que haría? Me daría un duchazo caliente, consumiría una buena comida, me reclinaría bajo unas cobijas calientes, vería un capítulo de "Friends" o "Frazier" en servo-croata mientras disfruto de un chocolate caliente y me sumergiría en una deliciosa noche de descanso. Mientras tanto, podría estar pensando: "¡Qué tontos, están congelándose allá afuera!" Y al siguiente día me haría papilla en la pista y me culparía por mi desastre.

Querer ganar no es suficiente. Uno debe estar preparado para lograrlo. Los ganadores hacen lo que sea necesario para ascender al próximo nivel. ¿Está usted dispuesto a hacer lo que sea necesario? Si no lo está, su sueño es un imposible.

Póngalo en práctica:

La preparación apropiada impide que uno tenga un desempeño insignificante. Su entrenador o mentor le ahorrará tiempo valioso ayudándole a concentrarse en sus fortalezas, a medida que diseñe su plan perfecto.

“Tener liderazgo es tener influencia. Se fundamenta en la habilidad de conseguir seguidores. La clave para alcanzar el éxito en cualquier esfuerzo consiste en dirigir a otras personas de forma exitosa.

—John Maxwell

PARTE CUATRO

CÓMO CONVERTIRSE EN UN MEJOR LÍDER

RECORRIENDO LA PISTA EN SARAJEVO PARA DETERMINAR LAS RUTAS MÁS RÁPIDAS QUE RESULTEN EN LOS MEJORES TIEMPOS. LOS LÍDERES ESTÁN DISPUESTOS A HACER LO QUE SEA NECESARIO PARA MEJORAR LOS RESULTADOS.

Dios los cría...

Las personas con las que usted se asocie determinarán lo lejos que usted podrá llegar.

Después de decidir participar en el deporte de *luge* y entrenar para los olímpicos de invierno de Calgary, tomar otras decisiones resultó bastante simple para mí. Sabía que todo acto que realizara durante los próximos cuatro años me acercaría o me alejaría de mi meta. Todo lo que decidiera hacer, marcaría la diferencia. Eso implicaba también elegir las personas con las que me asociaría.

Existen dos clases de personas en el mundo. O están en tu equipo o no lo están. O están en el equipo de tus sueños o no lo están. La gente lo apoyará a uno o lo desanimará. Si dudan que uno lo puede lograr, podrían arrebatarle el sueño de su vida.

Cuando nos asociamos con personas negativas nos hacen pensar de forma negativa. Si uno tiene contacto estrecho con personas parcas, lo más probable es que desarrolle hábitos parcos. Por otra parte, entablar amistad con personas de grandes ideales estimula nuestro pensamiento. El contacto estrecho con personas ambiciosas nos hace más ambiciosos.

Llegué a la conclusión de que si alguien se burla de mi sueño, en realidad se está riendo de mí. Si no creen en mí, dejo de asociarme con ellos. Debo hacerlo. Demostraron la capacidad de hacerme dudar de mí mismo y posiblemente hacerme abandonar mis sueños.

Yo emprendí el deporte de *luge* a la edad de 21 años, ¿demasiado viejo? Y estuve intentando clasificar para los olímpicos cuatro años más tarde. No podía dejar nada a la casualidad. No tenía tiempo que perder. Tenía que identificar rápidamente quién estaba a mi favor y quién no.

¿Cómo lo hice? Le contaba a las personas con las que hablaba acerca de mis aspiraciones. Si se reían o expresaban inconformidad con sus ojos o de alguna manera demostraban incredulidad, dejaba de asociarme con ellos. No podía darme el lujo. Eran ladrones de sueños. Por el contrario, si encontraba personas que se entusiasmaran con mi sueño, me aferraba a ellas como si estuvieran hechas de oro.

No transcurrió mucho tiempo, antes de que tuviera un grupo de personas a mi lado apoyándome. Un beneficio inesperado por hacer esto fue que acumulé presión positiva que me impedía darme por vencido cuando la lucha se hacía dura. Como podrán imaginarse, sin importar cuán duro hubiera sido un día en la pista, todavía era más fácil montarse en el trineo en vez de regresar a casa y decirles a todos que me había retirado.

Dios los cría y ellos se juntan. Asegúrese de que está con el grupo correcto de personas. De usted depende elegir bien.

Póngalo en práctica:

Si usted vuela con águilas, pensará, sentirá y actuará como un águila. ¿En compañía de quién pasa usted la mayor parte de su tiempo? ¿Pasa usted su tiempo con personas que le pueden estimular a alcanzar sus sueños? ¿Se asocia usted con personas que le animan a adelantar y a asumir mayores retos? O por el contrario, ¿se asocia usted con personas que no contribuyen a su progreso? El noventa por ciento del éxito que uno alcance depende de las personas con las que se asocie.

El poder de un entrenador

¿Alguna vez alguien le dijo que usted estaba destinado a lograr grandes cosas en la vida? ¿Se fortalece cuando otros demuestran confianza en usted? A veces tenemos que apoyarnos en la confianza que otros nos tienen, hasta que nuestra propia confianza se fortalece.

Cuando Bob Mathias era joven, sufría de anemia y era un joven enfermizo. Su amor por los deportes lo impulsó a involucrarse con las pistas y los terrenos de juego durante la secundaria. Con el tiempo, Bob se convirtió en un atleta competente, sin embargo, no lograba destacarse a nivel nacional en ningún evento.

Cuatro meses antes de los juegos olímpicos de 1948, su entrenador, Virgil Thomas, expresó confianza en las capacidades de Bob y le dijo: "Bob, tienes cuatro años. Si inicias ahora mismo, seguramente podrás lograrlo en la decatlón de los olímpicos de 1952."

La confianza del entrenador Thomas en Mathias era excepcional ya que Mathias nunca había corrido los 1.500 metros, nunca había saltado con garrocha, nunca había arrojado una jabalina y nunca había oído hablar de un decatlón. Y para completar, Mathias tenía sólo 17 años.

No obstante, la convicción del entrenador Thomas era tan fuerte, que Mathias se apoyó en ella y empezó a entrenar de inmediato. Mathias participó en su primer decatlón tan solo un mes después de empezar a entrenar, y tan increíble como parezca, ¡ganó su primer decatlón! Dos semanas después se inscribió en el campeonato de decatlón nacional de los Estados Unidos. ¡Una vez más ganó la competencia! Seis semanas después estuvo compitiendo en los juegos olímpicos de verano de 1948 y, durante cuatro años superó las predicciones de su entrenador.

Mathias compitió con atletas mayores que él y mucho más experimentados. Eran en su momento los mejores atletas del mundo. Pero Mathias no se dejó intimidar y asombró al mundo de los deportes a la edad de 17 años, convirtiéndose en el campeón olímpico de decatlón más joven de la historia.

Mathias ganó su segunda decatlón olímpica en 1952. Nada de lo que ocurrió hubiera sido posible si su entrenador, su mentor, no hubiera visto su grandeza, no hubiera creído en él y no le hubiera animado a perseguir su sueño.

Cuando alguien le haga un cumplido es porque ha visto una parte de su grandeza. Hay algo en usted que lo hace sobresaliente. Pero es probable que aquello sea tan natural para usted que tienda a darlo por sentado.

La próxima vez que alguien le haga un cumplido, agradézcalo y empiece a utilizar esos talentos que Dios le ha dado para realizar sus sueños. Rodéese de ganadores, busque a un entrenador o a un mentor que crea en usted y gane la medalla olímpica de oro en su vida personal y profesional.

Póngalo en práctica:

Busque a un entrenador que crea en usted y que acelere su ruta al éxito. Utilice sus dones naturales para alcanzar sus sueños. Preste muy buena atención a los elogios sinceros que le hagan otras personas.

El liderazgo en Chick-fil-A

Mi primer trabajo en la secundaria en 1978 fue trabajar en *Chick-fil-A*. Teníamos una pésima ubicación en una esquina oscura en el segundo piso de un centro comercial en Houston. En aquel entonces *Chick-fil-A* tenía solo 141 tiendas en todo el país. No obstante siempre lográbamos estar entre las diez mejores tiendas en ventas.

¿Por qué le iba tan bien a nuestra tienda? Todo se debía al liderazgo de nuestro gerente. Él, Steve Mason, era la clase de persona que sabía motivar y que hacía que trabajar en un restaurante de comidas rápidas fuera todo un hito. Steve siempre se concentraba en hacer que el trabajo fuera agradable y nos estimulaba constantemente a producir al nivel más alto. Siempre se inventaba alguna clase de concurso.

En una oportunidad dividió al personal en dos grupos y durante un mes promovió un concurso muy interesante; esos del estilo de: "¿Le gustaría las papas con esto, señor?" Después se llevó al equipo ganador a un restaurante cinco estrellas a disfrutar de un estupendo desayuno-almuerzo. Después de la competencia quedamos tan acostumbrados a la estrategia de ventas que continuamos usándola.

Steve conectaba continuamente las metas del restaurante con nuestras metas personales, así que comprendíamos que éramos empleados de *Chick-fil-A*, pero que en realidad estábamos trabajando para nosotros mismos. Nos hacía entender que el trabajo ético y las habilidades que estábamos aprendiendo nos preparaban para un futuro mejor. De nuestro grupo surgió un oficial de la fuerza aérea, un profesor universitario, un gerente de servicio automotriz, un autor y un atleta olímpico...

Steve fijaba estándares altos que resultaban atractivos para quienes deseaban alcanzar grandes logros. Nuestro grupo permaneció junto y se hizo fuerte. Trabajamos para Steve durante tres años, y todavía nos comunicamos 25 años después. Su liderazgo no pasó desapercibido en la industria de las comidas rápidas.

No pasó mucho tiempo antes de que la corporación *Chick-fil-A* se diera cuenta que Steve era demasiado valioso como para estar simplemente administrando un restaurante. Steve consiguió un ascenso bien merecido. Hoy en día es el encargado de los servicios operativos de la compañía.

Pero desafortunadamente, el nuevo administrador no demostró el liderazgo que Steve tenía. En tan solo seis meses todos renunciamos y el restaurante terminó cerrando algún tiempo después.

No obstante, Steve me enseñó muchísimo en cuanto al liderazgo. Sin importar las circunstancias en las que uno esté (en nuestro caso un restaurante en una ubicación pésima), un líder puede crear un entorno de victoria, una cultura ganadora, sin importar dónde se esté. Un buen liderazgo hace surgir de la nada, crea oportunidades donde no existen y no al contrario.

Empiece a ser un líder... en el hogar, en el trabajo, en la liga de fútbol y en su comunidad. Conviértase en un excelente líder y hará que los mejores quieran estar en su equipo. Y a medida que lo logra, estará cambiando el mundo a su alrededor.

Póngalo en práctica:

Asóciese con ganadores y líderes. Conviértase en el mejor líder que pueda llegar a ser. Atraiga y conserve a su lado las personas con el mejor talento.

Cómo convertirse en un mejor líder

Cuando emprendí el deporte de *luge* y empecé a entrenar para los olímpicos, tenía veintiún años de edad. En aquel entonces pensaba que podía llegar a los olímpicos por mí mismo. Todavía tenía que aprender muchísimo.

En su libro "Los siete hábitos de las personas altamente efectivas," Steven Covey habla de las tres etapas que las personas experimentan: dependencia, independencia, e interdependencia. A los veintiún años yo todavía estaba en la etapa de independencia y necesitaba pasar a la etapa de interdependencia.

Más adelante, me di cuenta que necesitaba alguna ayuda. Si deseaba lograr grandes cosas tenía que desarrollar liderazgo y habilidades organizativas para conformar un equipo de trabajo. Entonces tendría que trabajar con ese equipo para hacer realidad mi sueño olímpico. Tendría que conformar un equipo deportivo en el *luge*, un deporte que suele ser muy individualista. En realidad ocurre lo mismo con cualquier proyecto o meta mayor. Los llaneros solitarios no logran tanto como quienes conforman grupos de trabajo. Se necesitan dos cualidades para ser un buen líder: Pasión e integridad.

Si uno siente pasión por su meta, atraerá a personas que vayan en la misma dirección, personas que desearían ser parte de esa misión. Yo sentía pasión. Le hablaba a las personas que se me acercaban, acerca de mi sueño olímpico. Y me entusiasmaba con ello enormemente y no era ambivalente. Las demás personas no podían dudar de mis convicciones y que estaba comprometido con mis sueños hasta la médula. Cuando hacía eso y encontraba a alguien que demostraba interés por los olímpicos, me convertía en su punto de enlace con los olímpicos, y como consecuencia, en muchas ocasiones, ellos también estuvieron dispuestos a ayudarme.

Todas las personas tienen la capacidad de apasionarse por algo. Lamentablemente la mayoría de ellas mantienen su pasión embotellada. Temen demostrar su pasión por temor a lo que otros piensen. A mí no me importaba lo que otros pensaran. Más aún, deseaba saber quiénes no creían en mí para dejar de asociarme con ellos.

La primera parte del liderazgo es sentir pasión por la causa. La segunda es la integridad.

¿Seguiría a alguien en quien no confía? ¡Por supuesto que no! De modo que si usted desea ser el líder y que otros le sigan, usted deberá ser una persona digna de confianza en lo absoluto. Su palabra se convierte en oro. Mantenga su palabra. Sea muy cuidadoso en cuanto a lo que promete. Debe cumplir cada promesa. Cada vez que eso no ocurra, su credibilidad y su reputación se verán afectadas. La única forma de uno convertirse en persona confiable ante los ojos de los demás, es siempre prometer poco y cumplir en exceso.

Si usted siente pasión por su causa y es una persona de integridad, irá un 95% más adelante que los demás. Las personas se sentirán atraídas hacia usted. Entonces estará en condiciones de lograr grandes cosas.

Póngalo en práctica:

¿Cuánta pasión siente usted por su sueño? Cuando la gente piensa en usted, ¿lo asocian con su sueño? Haga de ello un hábito, prometa poco, cumpla demasiado. Siempre vaya una milla adelante.

¿A favor de qué está usted?

Quienes logran lo mejor en cada campo de la vida, es decir, los líderes, saben muy bien quiénes son, lo que creen y a favor de qué están. Saber eso les ahorra mucho tiempo y energía valiosos y les permite lograr muchas más cosas que las personas promedio que no tienen metas o valores definidos.

Usted deberá saber cuáles son sus valores, porque éstos determinan nuestras creencias. Éstas, a su vez, determinan nuestras expectativas, y éstas últimas determinan nuestra actitud general y si estamos dispuestos a lograr nuestro cometido.

Las acciones determinan los resultados, pero hablando del trasfondo, sus valores y creencias determinan las acciones que uno emprenderá. La gente es muchísimo más feliz cuando actúa en conformidad con sus valores. Si uno actúa en contra de ellos, no logra ser feliz. De modo que es muy importante dedicar algún tiempo a considerar lo que son nuestros valores. Estos son los que le ayudan a uno a encontrar la ruta a la felicidad.

Una manera de asegurarse de que uno está actuando en armonía con sus valores tiene que ver con confiar en la propia intuición. Escuche sus sentimientos más profundos. Escuche su corazón.

Algunas de las preguntas que le ayudarán a determinar sus valores más importantes podrían ser: ¿Qué lo hace sentir bien respecto a sí mismo? ¿Qué lo hace sentir importante? ¿Qué lo llena de orgullo? ¿Cómo le gustaría que se le reconociera? ¿Cómo le gustaría ser recordado?

Recuerde que uno llega a convertirse en lo que piensa la mayoría del tiempo. Las personas exitosas piensan constantemente en lo que desean lograr, en lo que harán para alcanzarlo y cómo ser veraces con sí mismos para alcanzarlo. Las personas exitosas saben que deben ser consecuentes con sus valores.

Póngalo en práctica:

Ponga por escrito entre tres y cinco de sus valores más importantes. ¿Cómo se le conoce a usted mejor? ¿Qué clase de persona le gustaría ser si supiera que no va a fallar? ¿Ejerce usted esos valores a diario? Escriba su propio obituario. ¿Qué le gustaría que su familia y amigos dijeran en su funeral? ¿Qué sería algo nuevo que pudiera empezar a hacer hoy a fin de estar más en armonía con sus valores? Empiece a hacerlo y vea cómo su autoestima se incrementa.

Desarrolle su visión para alcanzar el éxito

Las personas se convierten en lo que piensan todo el tiempo. Por eso es que es tan importante controlar los pensamientos. Las personas piensan en el futuro todo el tiempo; piensan en sus metas y lo que pueden hacer para alcanzarlas. Las personas promedio piensan en el presente, en el pasado o en los obstáculos.

La forma ideal de pronosticar tu éxito en la vida está relacionada directamente con tu habilidad para planear a largo plazo. Si uno se concentra en lo que quiere que suceda a largo plazo, mientras toma decisiones de calidad en el presente, logrará obtener los resultados deseados. Mientras más se concentre uno en esas metas futuras, mejores decisiones tomará en el presente y mayores probabilidades tendrá de alcanzarlas.

El obstáculo más grande que enfrentan los seres humanos al fijarse metas a largo plazo tiene que ver con sus propias concepciones auto limitantes. Cuando uno permite que éstas asuman el control, establece metas muy por debajo de lo que realmente es capaz de lograr.

Yo cometí ese error. Nunca creí que pudiera ganar una medalla olímpica. Por consiguiente, simplemente me fijé la meta de competir en los olímpicos. Y lo hice tres veces. Pero, ¿qué habría sucedido si me hubiera fijado la meta de ganar una medalla? Me hubiese convertido en un atleta olímpico. Al final, hubiera llegado más lejos de donde fui. No cometa ese error. Aspire a llegar a lo más alto posible.

Imagine lo que sería su vida en cinco años si fuera perfecta en todo sentido. Concéntrese en crear su vida ideal y verá como vence sus propias concepciones auto-limitantes. En mi caso, yo solía imaginar cómo sería desfilar en la ceremonia de apertura. Haciendo eso vencí mis propias creencias limitantes que me impedían pensar en ser un deportista olímpico. No obstante, si yo hubiese imaginado lo que sería convertirme en un medallista olímpico, hubiera vencido aquellas concepciones auto-limitantes.

¿Ve cómo funciona esto? Si usted imagina algo vívidamente, empieza a creer que es posible. Y una vez que crea que es posible, empieza a actuar como si fuera posible, y si actúa de esa manera de forma consistente, lo convertirá en realidad.

Imagine que usted tiene todo el tiempo, los talentos, las habilidades y los recursos necesarios para crear una vida perfecta. Imagine que no va a fallar. Ahora bien, ¿cómo sería esa vida perfecta? ¿Dónde viviría? ¿Cómo sería su carrera? ¿Qué clase de relación tendría con sus seres queridos? ¿Cómo se vería y se sentiría si tuviera salud perfecta? No se fije metas y sueños de pequeña escala. ¡Vaya por la de oro! Los grandes sueños tienen el poder de inspirarlo a uno a la acción y de inspirar a otros para ayudarle.

Ahora pregúntese: "¿Cómo haré esto? ¿Qué habilidades adicionales necesitaré cultivar para lograrlo? ¿Qué necesito hacer cada día para desarrollar esas habilidades y convertirme en un experto en mi área a la vuelta de cinco años? ¿Cómo lo haré?" Si uno continua haciéndose esas preguntas, las respuestas vendrán pronto.

Una vez que usted empiece a estar enfocado y concentrado en el futuro y una vez que se pregunte cómo lo hará, y empiece a realizar todas las acciones consistentes con sueños, empezará a ser más feliz. Y lo hará porque la felicidad es un producto del trabajo duro para alcanzar las metas y sueños.

Póngalo en práctica:

Concéntrese en sus metas a largo plazo. Pregúntese: "¿Cómo puedo lograrlas?" Cuando tenga la respuesta emprenda acciones consistentes en la búsqueda de la realización de sus sueños.

Haga lo que dice

Los líderes en todos los ámbitos concuerdan en que existe escases de personas que logren hacer las cosas y que obtengan resultados. Eso puede significar buenas noticias. Constituye una oportunidad para todos nosotros. Eso significa que si uno desea destacarse en su campo lo que necesita hacer es empezar a obtener resultados. ¿Cómo se logra eso? Convirtiéndose en una persona de acción. ¡Acción contundente!

El simplemente tener buenas ideas no es suficiente. Tampoco tener grandes ideas. Las ideas surgen a raudales. No obstante, las personas que son capaces de implementar las ideas son invaluables. Todo lo que existe en el mundo es el resultado de una idea que fue llevada a cabo. ¡Hasta la silla en la cual usted se sienta!

Las personas exitosas son activas. Hacen cosas. No desperdician el tiempo. Las personas exitosas tienen un sentido de urgencia respecto a sí mismas. En cambio, las personas pasivas no son exitosas. Tienden a posponer y dilatan la acción, Esperan a que todo sea perfecto antes de emprender la acción.

Bueno, el asunto es que las condiciones nunca han sido ni serán perfectas. ¿Qué hubiera sucedido si Eisenhower hubiera esperado hasta que las condiciones fueran perfectas para invadir Normandía? ¿Qué habría sucedido si Kennedy hubiera esperado hasta que las condiciones fueran perfectas para poner a un hombre en la luna? ¿Qué habría pasado si Colón hubiese esperado hasta que las condiciones fueran perfectas para emprender su viaje?

Cuando usted actúa, se va de vacaciones en familia, no espera hasta que todas las luces de los semáforos se pongan verdes. Usted inicia el viaje y espera en los semáforos en rojo hasta que puede avanzar. Utilice ese mismo enfoque en todas las demás cosas.

Haga lo siguiente: ¡empiece! ¡Atrévase! Es necesario empezar. Si no lo hace, se lamentará y el estrés lo invadirá. El estrés se origina por no hacer lo que sabe que se debe hacer.

Una vez que empiece, una vez que vaya en camino, su mente se enfocará en cómo hacer el trabajo. Tan pronto como emprenda el camino irá a la cabeza de la competencia. ¡Y todavía hay quienes lo están pensando!

La acción genera confianza. La inactividad fortalece el temor. Piense cuando era un niño y estaba en la cima de un tobogán. Mientras más esperaba para lanzarse, más se apoderaba el miedo de usted. Pero una vez que se decidió a lanzarse, el temor desapareció y pasó el resto de la tarde lanzándose por el tobogán. Emprender la acción fue divertido. Fue estimulante.

Ahora bien, usted sabe lo que necesita hacer. ¡Empiece a hacerlo ahora mismo! ¡Hágalo! ¡Empiece! ¡Conviértase en un fanático de la acción! Se alegrará de haberlo hecho. Por otra parte, si no está dispuesto a emprender la acción, háganos un favor: ¡DEJE DE HABLAR AL RESPECTO!

Póngalo en práctica:

¿Qué puede hacer durante los próximos 15 minutos para avanzar en el logro de sus sueños? ¿Por qué no lo está haciendo? Su nuevo lema debería ser: "!Házlo ahora!" "!Házlo ahora!" "!Házlo ahora!"

"El deseo es la clave de la motivación, no obstante, son la determinación y el compromiso los que permiten alcanzar el éxito anhelado."
—Mario Andretti

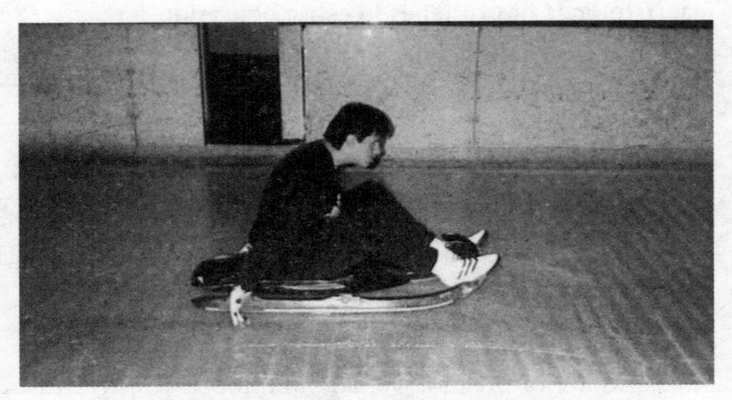

ENTRENANDO EN UNA PISTA DE PATINAJE EN HOUSTON.
HAGA LO MEJOR QUE PUEDA CON LOS RECURSOS QUE TENGA.

PARTE CINCO

COMPROMÉTASE CON SU SUEÑO

TRABAJO NOCTURNO CON EL TRINEO. CADA PASADA DE LIJA SOBRE EL ACERO HACE AL TRINEO MÁS VELOZ. – COMPROMÉTASE A HACER LO QUE SEA NECESARIO PARA CUMPLIR SUS METAS.

El poder de la elección

En su libro "Raíces," Alex Haley nos habla de algo inesperado que sucedió justo después de que se aboliera la esclavitud. Los esclavos que habían obtenido su libertad no sabían cómo ser libres. Durante toda su vida, otras personas habían tomado las decisiones por ellos. Nunca habían aprendido a ser autónomos. Bien se pudiera decir que los "músculos para tomar decisiones" necesitan ser ejercitados. Muchos de los esclavos hasta permanecieron con sus amos y trabajaron para ellos por el resto de sus vidas.

En la película "La redención de Shawshank," cuando Brooks, el prisionero que había estado interno por 50 años, fue liberado; no sabía cómo ser hombre libre. No sabía cómo utilizar su poder de elección. Durante toda una vida se le había dicho lo que debía hacer. Para él la vida como hombre libre lo aterró tanto que terminó suicidándose.

Los "músculos de la elección" de muchas personas podrían fortalecerse un poco. Después de todo, cuando éramos jóvenes nuestros padres y nuestros maestros solían decirnos qué hacer. Más tarde, obtenemos un empleo y nuestro jefe nos dice qué hacer. Pareciera como si siempre hubiese alguien presto a decirnos qué hacer – si se lo permitimos.

Como resultado de lo anterior, empezamos a ir a la deriva, en vez de dirigir nuestro propio rumbo. Nos limitamos a existir en vez de vivir, y terminamos utilizando sólo una pequeña fracción de los dones que Dios nos ha dado. Olvidamos que tenemos el poder de elegir la clase de personas que deseamos ser, lo que queremos lograr, dónde queremos vivir, etc. Dejamos de asumir la responsabilidad por nuestros resultados y empezamos a vivir como víctimas, en vez de experimentar la victoria.

Tanto usted como yo tenemos la oportunidad de elegir lo que queremos hacer con nuestras vidas. Estamos donde estamos por las decisiones que hemos tomado. Si a uno no le gusta la situación en la que está, necesita tomar decisiones diferentes. El asunto es así de sencillo.

Mi padre siempre me decía: "Lo importante no es lo que te suceda, ¡más bien es el manejo que le des!" También decía: "Tú tienes la capacidad de elegir tu destino." No fue sino hasta que empecé a actuar cuando empecé a creer que mi vida había comenzado a volverse interesante.

Ahora quiero compartir un pequeño secreto con usted. Existe un momento mágico entre las circunstancias y los resultados. Ese momento se llama elección. Cada vez que le ocurra algo, cuando las circunstancias no sean favorables, cuando las cosas parezcan ser injustas con usted, no se queje de la vida. En el momento en que usted empiece a culpar a las circunstancias, en ese momento se convertirá en una víctima. Y una vez que haga eso se podrá despedir de su futuro anhelado. Pero recuerde, usted puede elegir su reacción ante las circunstancias. Haga la elección sabia, manéjela apropiadamente y observe cómo los resultados mejoran significativamente. ¿Qué clase de vida desea tener? La buena noticia es que usted tiene el poder de crearla.

Una vez que uno deja de dar disculpas y empieza a asumir la responsabilidad por los resultados, la vida se convierte en algo fascinante. Ocurrió conmigo.

Póngalo en práctica:

¿Es usted de los que dan disculpas? ¿El asunto es que todo el mundo enfrenta desafíos? Deje de excusarse. Resuélvase a hacer algo al respecto, ahora mismo. Resuélvase a convertirse en una fuente de inspiración para otros que enfrentan los mismos desafíos.

Sólo seis pulgadas

Tiempo atrás cuando me involucré en el *luge,* uno de mis entrenadores solía decirme: "¡Rubén estás a solo seis pulgadas de éxito rotundo!" Al principio no estaba muy seguro de lo que había querido decir. Entonces pasó a explicarme: "Seis pulgadas es la distancia que hay entre los oídos. El éxito depende de la forma como uno alimente su mente." Él estaba hablando del "juego mental interno." Me tomó años entender lo que quiso decir. Hoy en día me doy cuenta de que estaba 100% en lo correcto.

Siempre se oye decir que la parte mental de los deportes es más importante que la parte física. Debo admitir que siempre fui escéptico al respecto. Fui escéptico hasta cierta mañana de octubre de 1998.

Empecé a participar en el *luge* en 1984 y me retiré justo después de los olímpicos de Albertville en 1992. Después de Albertville no participé en ninguna competencia durante seis años. No obstante, durante esos seis años, leí cientos de libros relacionados con el tema del éxito y escuché miles de cintas sobre motivación. No me di cuenta de ello, pero al hacer eso me fortalecí mentalmente.

En 1998, seis años después de haberme retirado del *luge,* decidí empezar a entrenar preparándome para los olímpicos de Salt Lake en 2002. Mi primer día de entrenamiento fue inolvidable. Estaba en la salida de la pista de *luge* en Calgary, listo para mi primera carrera tras seis años de inactividad. Pero sorprendentemente me sentía tranquilo, relajado y confiado. ¡Mis primeras cuatro carreras fueron las mejores que he tenido a nivel personal!

Sentí que tenía más control sobre el trineo que nunca antes. ¡Cuatro marcas personales después de un receso de seis años! ¡Increíble! Ése día deje de ser escéptico. Ese día empecé a creer en el poder de la mente humana.

Los atletas olímpicos emplean muchas técnicas de entrenamiento mental para refinar su agudeza competitiva. Técnicas mentales diseñadas para mantenerlos expectantes, confiados y mentalmente fuertes para que puedan hacer lo que sea necesario para ganar. Son técnicas que, de igual forma, cualquier persona puede utilizar para conseguir mejores resultados en su vida personal y profesional.

Los atletas olímpicos utilizan técnicas subliminales que les ayudan a alcanzar sus metas. Las paredes de mi oficina están repletas de objetos alusivos a los olímpicos. Me rodeo de fotos que constantemente bombardean mi mente respecto a las metas que deseo alcanzar. Hacerlo me hace imparable en lo que respecta a mis objetivos.

También empleo *software* en mi computador que me ayuda a concentrarme en mis metas. Mi actividad favorita consiste en escribir mis propias declaraciones antes y después de realizar mis metas. El *software* permite personalizar los temas de acuerdo a lo que desee; cómo convertirse en un mejor vendedor, cómo convertirse en un mejor estudiante, cómo mejorar su desempeño en el golf, y así por el estilo. Todo esto le permite a uno tener el control, estar al volante, figurativamente hablando.

Este programa de *software* no es mágico. Es simplemente una herramienta que se puede utilizar para mantenerse enfocado en las metas que se quieren alcanzar.

Hubiera deseado tenerlo hace años. El éxito no ocurre por casualidad. Requiere acción contundente. Thomas Edison dijo, “La genialidad consiste en un 2% de inspiración, y un 98% de trabajo duro.” La clave para tener éxito en cualquier cosa consiste en emprender la acción contundente y persistentemente.

¿Qué desea lograr? ¿Mejores ventas? ¿Obtener un ascenso? ¿Con cuánta vehemencia desea lograrlo? ¿Lo desea con tal resolución que está dispuesto a obtener las herramientas necesarias que le ayuden a emprender la acción? Recuérdelo, ¡usted está a solo seis pulgadas de lograrlo!

Póngalo en práctica:

Rodéese de fotos alusivas a sus metas y sueños. Esté dispuesto a utilizar cualquier herramienta o técnica que aumente sus posibilidades de alcanzar sus sueños.

La forma correcta de utilizar las afirmaciones

Cuando Muhammad Ali dijo en una ocasión: "¡Soy el más grande!," estaba haciendo varias cosas al mismo tiempo. Estaba influenciando psicológicamente a sus contrincantes, se estaba promoviendo a sí mismo, estaba haciendo publicidad, pero lo más importante de todo es que estaba acondicionando su mente subconsciente para convertirse en "El más grande."

Usted puede programar su mente subconsciente de modo que se convierta en un "sistema guía" que le ayude a alcanzar sus metas, sueños y aspiraciones.

Las afirmaciones, también conocidas por la expresión "hablar consigo mismo," consisten en declaraciones precisas que describen las metas que uno tenga, en un estado definitivo y finalizado, por ejemplo: "Yo estoy disfrutando los beneficios de vivir en la casa de mis sueños en las montañas," o: "Yo estoy en buena forma en mi peso ideal de 85 kilos."

Con el fin de que las afirmaciones sean asimiladas correctamente por la mente subconsciente, deben contar con ciertas características; deben empezar con las palabras "Yo estoy," deben escribirse en el tiempo presente, y deben ser positivas y no negativas.

La mente subconsciente no asimila las frases negativas. Entiende imágenes mentales. De modo que si usted dice: "Nunca me excedo al comer," asimila la expresión: "Me excedo al comer." Las afirmaciones deben ser cortas y amenas. Deben ser precisas, no generales. La frase "Yo estoy delgado y en buena forma," no es tan efectiva como "Yo estoy delgado, en buena forma y peso 85 kilos."

Los mejores momentos para leer las afirmaciones son después de despertarse y antes de irse a dormir. Léalas con pasión y emoción, preferiblemente frente a un espejo. Una de las afirmaciones más poderosas es: "El credo del campeón." Yo la he utilizado por años.

Leer afirmaciones lo pone a uno en un estado de determinación y fortaleza mental. La determinación es un estado mental poderoso porque cuando uno se decide a hacer algo, nada lo hace desistir.

Lea sus afirmaciones con fuerza y energía, cuando necesite actuar en algo que sea un reto, como hacer una presentación en público, hacer una importante llamada de negocios, o en general, cuando necesite que todo salga bien.

Póngalo en práctica:

Lea sus afirmaciones con fuerza, pasión y energía.

Empiece su día como un campeón

La calidad de su estado mental determina la calidad de los resultados en las actividades que emprenda. Las primeras cosas que usted hace en la mañana establecen el estado mental para el resto del día. Le reto a que haga un cambio radical durante los próximos treinta días y que realice algo que nunca antes haya hecho.

Si lo hace durante los próximos treinta días, verá cómo cambia su actitud, su enfoque y su intensidad. Se convertirá en una persona diferente. Sus amigos y familiares le preguntarán: "¿Qué pasó contigo?" Créame, si lo hace por treinta días, deseará hacerlo por el resto de su vida.

Durante los próximos treinta días:

1. Vaya a dormir media hora más temprano. No más televisión tarde. Necesitará levantarse temprano mañana.
2. Cuando vaya a dormir, medite en lo que sentirá cuando realice su sueño.
3. Levántese media hora más temprano. No encienda su computador. Esos treinta minutos fijarán el tono para el resto de su día y el resto de su vida.
4. Dedique un minuto a escribir sus metas y sueños. Deberá hacerlo todos los días. Aquello constituye un acto de compromiso que condiciona su mente para emprender la acción. (Y a fin de tener éxito, el nombre del juego es acción.)
5. Dedique tres minutos para escribir por qué desea realizar sus sueños. ¿Qué lo motiva? Sea específico.

Si su por qué es lo suficientemente bueno, el cómo se encargará de lograrlo.

6. Párese frente al espejo y lea su copia del credo del campeón. Léala con fuerza y pasión. Déle pleno sentido a la lectura. Podrá encontrarlo al final de este libro.
7. Cierre sus ojos e imagine vívidamente lo que sentirá cuando su sueño se convierta en realidad. Involucre todos sus sentidos, llénese de pasión por su sueño.
8. Escriba las tres cosas más importantes que hará hoy en relación con su sueño y a medida que transcurra el día, dedique tiempo a realizarlas. Muchas personas logran excelentes resultados haciendo esto la noche anterior.
9. Dedique entre quince y veinte minutos diarios a leer un libro estimulante, positivo e inspirador.
10. En su viaje al trabajo, en vez de escuchar la radio, escuche un CD de auto motivación, que sea estimulante, positivo e inspirador (vea autores como Zig Ziglar, Les Brown, Denis Waitley, Brian Tracy).

Le garantizo que si usted hace esto durante los próximos treinta días, su vida cambiará, y esto será así porque su actitud cambiará.

Cómo pasar de la ilusión al compromiso

¿Siente usted fascinación por su sueño? Cuando una persona se siente totalmente fascinada por la posibilidad de lograr algo, se hace imparable.

Cuando sentí fascinación por la idea de convertirme en un deportista olímpico, me aferré a esa visión, aún cuando aquello implicó muchos años de entrenamiento. Las personas a veces me dicen que debo tener mucha fuerza de voluntad. Pero yo pienso que no tengo más fuerza de voluntad de la que tiene la gente en general. Pero lo que yo sí tenía era una enorme fascinación por la idea de convertirme en un deportista olímpico y tenía el fuerte deseo de hacerlo realidad. Fue la fascinación por el resultado final lo que me hizo perseverar.

Los sueños son muy frágiles. Cuando uno tiene un sueño debe alimentarlo y protegerlo para que se fortalezca. Hay que dedicarle tiempo, de modo que uno pueda desarrollar la convicción de que es posible.

Si uno no alimenta su sueño, éste se convierte en simple fantasía. Las fantasías no producen frutos, porque cuando un sueño es una fantasía en realidad es una ilusión. Y una ilusión consiste en esperar que las cosas ocurran sin hacer nada al respecto.

Tarde o temprano uno tiene que comprometerse con su sueño y emprender la acción. El compromiso nace cuando uno deja de escuchar sus temores y empieza a escuchar su voz interior, es decir, la voz que lo invita a uno a perseguir su sueño.

Cuando uno deja de escuchar sus temores como consejeros y empieza a escuchar su corazón, su sueño se fortalece y su vida adquiere una misión definida. Uno no estará satisfecho sino hasta que realice su sueño. Alcanzar el éxito es una decisión que uno toma. Es un trabajo interior. Simplemente tienes que creer.

Uno tiene que aferrarse a su sueño y conocerlo como a su propio nombre. ¿Puede imaginar a alguien intentando convencerlo de que su nombre no es su verdadero nombre? Esa persona simplemente estaría loca. Usted de seguro pensaría: "¡Esto no tiene sentido!"

Bien, así es como uno necesitaría reaccionar si alguien cuestionara su capacidad para alcanzar su sueño. Si una persona se burla de su sueño, es porque esa persona no cree tanto como usted. Es mejor dejar de asociarse con ella. No desperdicie su tiempo intentando convencerla. Usted estaría invirtiendo tiempo y energías preciosos que podría estar utilizando para alcanzar su sueño. Simplemente sonría, retírese, y piense: "Tan solo obsérvame, bufón."

Si alguien le pregunta qué le hace creer que puede realizar su sueño, simplemente dígale: "Lo sé porque lo sé." No permita que otros lo distraigan de conseguir sus sueños. Usted tiene un campeón dentro, el cual está ansioso de trabajar por sus sueños. Escuche su corazón y luche por ellos. Acepte el reto para que pueda también experimentar el regocijo de la victoria.

Póngalo en práctica:

Proteja su sueño y aliméntelo. No desperdicie su tiempo con personas que no crean en usted. Asóciese con quienes crean en usted y le brinden apoyo.

Decídase a reír de último

Cuatro velocistas de talla mundial tuvieron un sueño de competir en los olímpicos de verano. Aunque no lograron calificar, en vez de hacer una fiesta de pesares, empezaron a pensar lo que harían para lograr hacer realidad su sueño olímpico. Después de una sesión de lluvia de ideas, para encontrar soluciones, decidieron participar en *bobsled* e ir a los olímpicos de invierno.

Sería la primera vez que un equipo de *bobsled* jamaiquino competiría en los olímpicos. ¿Un equipo de *bobsled* jamaiquino? La mayoría de las personas dijeron ¡Inconcebible! Pero eran excelentes atletas. Extremadamente rápidos. Lo único que necesitaban era dominar unas nuevas técnicas deportivas. El hecho de que provinieran de Jamaica parecía improcedente. Pero el único hecho que realmente importaba era si ellos estaban dispuestos a participar en la competencia.

Yo hablé con ellos brevemente durante los olímpicos de 1988, 1992 y 2002. Cuando iniciaron su participación en los olímpicos de Calgary en 1988, todo el mundo se reía de ellos; a veces hasta en su propia cara. Experimentaron lo que todo pionero experimenta. Fueron ridiculizados. Cuando les pregunté qué les hacía sentir tanta burla y presión, respondieron con: "Sólo obsérvanos. No somos de los que se dan por vencidos. Nosotros reiremos de últimos."

Algunos días después, durante la competencia olímpica de 1988, tuvieron un terrible choque (usted probablemente lo vio en la película "Jamaica bajo cero"). Cuando uno mira el choque y su *bobsled* se voltea y choca contra la pared, parecería como si el cuello del guía se rompiera. De forma increíble, el guía se llena de valor, se retira del choque, pero no de su *bobsledding*. Los jamaiquinos rehúsan darse por vencidos y se alistan para reír al final.

Cuatro años más tarde, durante los olímpicos de Albertville, pocas personas todavía reían, pero ya no frente a ellos. Los jamaiquinos habían ganado experiencia. En 2002, en los juegos olímpicos de Salt Lake City (esta era la quinta vez que participaban en unos olímpicos), los jamaiquinos vencieron a varios equipos sólidos. Ya nadie se reía, excepto los mismos jamaiquinos. Para entonces se habían ganado la admiración de la gente alrededor del mundo.

Ahora bien, lo que yo aprendí de los *bobsledders* de Jamaica es que no importa quién sea uno, cuando intenta algo nuevo, algo diferente, algo atrevido y audaz, la gente siempre reacciona de la misma manera. Al principio se ríen, luego lo observan para ver si se retira, y finalmente, si uno persiste, lo admiran. Lo que a uno le corresponde es aguantar mientras los demás ríen.

Por ello es que es tan importante tener un equipo que apoye el sueño de uno. Un grupo de personas que crean en uno y que lo animen a través de los tiempos difíciles.

La próxima vez que emprenda algo audaz y valiente, y si la gente se ríe de ello, haga lo que hicieron los jamaiquinos. DECIDA que es usted quien reirá de último.

Póngalo en práctica:

Cree un grupo de personas que crean en usted y que le apoyen para persistir a pesar de la burla o el escepticismo de otros. Decídase a reír de últimas. De usted depende.

Comprométase con la excelencia

La mayoría de las personas exitosas tienen algo muy importante en común. En algún momento del tiempo, decidieron comprometerse para llegar a ser las mejores en su área. Se comprometieron con la excelencia.

Se dieron cuenta que si lograban hacer lo mejor en su campo, las recompensas bien valdrían la pena. De modo que decidieron pagar el precio, hacer lo que estaba a su alcance, y realizar cualquier sacrificio necesario para convertirse en expertos en su área.

Una vez que adquirieron las habilidades y el conocimiento, lo que todo el mundo puede hacer, empezaron a ganar muchas veces más, en comparación con las personas promedio de su área. Sin importar dónde esté usted hoy, usted puede tomar la decisión de comprometerse con ser el mejor. Usted puede hacerlo. Todo aquel que hoy en día es un experto en su área, en algún momento hizo ese compromiso consigo mismo. Estas personas simplemente tomaron una decisión, aprendieron las habilidades y emprendieron la acción.

Tal vez no sea fácil, pero es factible. Es posible, y bien vale la pena. Usted puede cambiar, usted puede mejorar, usted puede ser mejor. Usted puede hacer más. Todos podemos. Usted puede aprender las habilidades que lo lleven al próximo nivel. Sólo debe tomar la decisión.

Una vez que usted decida aumentar su conocimiento y habilidades estará encaminado a hacerse un experto en su área. Rápidamente estará liderando la carrera. Será como correr una carrera sin otros competidores y esto se debe a que otros por lo general no están dispuestos a comprometerse de la misma manera.

Pregúntese: ¿Qué conocimientos o habilidades necesito adquirir para hacerme el mejor en mi área? ¿Qué es esencial que sepa? Si no lo sabe, acuda a los expertos en su área y pregúnteles. Ellos le ayudarán si ven que usted está comprometido con la excelencia.

Yo me reúno constantemente con los expertos en mi área para aprender lo que se necesita para progresar más. Yo confío en mis entrenadores quienes me ayudan a hacer las cosas bien y me advierten de aquello que está en contra y me alejan de alcanzar mis metas.

Cuando descubra el área donde se pueda desempeñar muy bien, comprométase con la excelencia, aplique las recomendaciones de sus entrenadores y mentores. La gente se asombrará de ver cuánto puede lograr en su vida.

Póngalo en práctica:

Reúnase regularmente con los expertos en su área para aprender lo que se necesita para progresar más. Conviértase en un aprendiz de por vida. Encuentre un entrenador o mentor que le ayude a llegar a su siguiente nivel.

El poder de ser flexible

Vivimos en tiempos de cambios rápidos y constantes. Debido a ello, una de las cualidades más importantes que uno debe desarrollar a fin de tener éxito en este siglo XXI es la flexibilidad. Ésta implica asimilar las circunstancias de la vida con mente abierta y estar dispuestos a realizar cambios.

Lo opuesto a la flexibilidad es la rigidez y la dureza, la renuencia a realizar cambios frente a las nuevas circunstancias. Uno debe aprender a ser flexible cuando las circunstancias cambian, porque la persona que se adapta primero, gana primero.

Algunas personas se enfocan en cómo "deberían" ser las cosas. Las cosas rara vez son como deberían ser. De modo que concentrarse en lo que debería ser es una pérdida de tiempo y de energías. Los "debería ser" no tienen sentido. Lo único que realmente importa es lo que es.

Cuando usted esté intentando lograr algo, no se preocupe demasiado respecto a lo que usted "debería" conseguir en cuanto a resultados. Concéntrese en los resultados que usted está obteniendo. ¿Es ése su enfoque? Si no lo es, cámbielo.

Esté abierto a la nueva información y a las nuevas ideas. Una idea nueva puede transformar literalmente la vida de uno. Puede generarle una fortuna o hacer que la pierda. Por ello es que leer resulta indispensable cuando uno va en su ruta hacia el éxito. En la era de la información, quien tiene la mejor información y actúa en conformidad con ella, gana. Por ello es que es tan importante tener un mentor o un entrenador. Los entrenadores son expertos en su área. Son consejeros que suministran la mejor información.

Para desarrollar la flexibilidad se necesita tener en mente tres conceptos. Al principio pueden ser difíciles de asimilar, pero aplicarlos puede ahorrarnos tiempo, energía, tristeza y dolor. El primero es: "Me equivoqué." El segundo es: "Cometí un error." Y el tercero es: "Cambié de opinión."

Empiece a utilizar estas tres frases e inmediatamente comenzará a volverse más productivo. La próxima vez que se dé cuenta de que está equivocado, que ha cometido un error, o que debe cambiar de opinión, dígalo, y verá como todo el mundo estará dispuesto a involucrarse para resolver el problema y ayudarle a alcanzar sus metas.

Admitir que uno se ha equivocado, que ha cometido un error o que necesita cambiar su opinión, no es una muestra de debilidad. Al contrario, es una demostración de coraje y valor. Aquello despierta la admiración de la gente.

A veces es difícil utilizar esas frases. No obstante, si uno quiere realizar grandes cosas en la vida, necesita hacer una resolución y poner su ego a un lado. A veces uno necesita elegir entre estar en lo correcto o ser rico. ¿Cuál es su elección?

Póngalo en práctica:

Concéntrese siempre en los resultados. Esté abierto a las nuevas alternativas para alcanzar sus metas

Cómo alcanzar sus metas en la mitad del tiempo

¿Le gustaría alcanzar sus metas en la mitad del tiempo? ¿Le gustaría tener un mayor sentido de control de su vida?

Las personas que tienen sentido de control sobre sus vidas son más seguras y más felices que aquellas que sienten que su vida está fuera de control. Una parte importante para adquirir ese control tiene que ver con aprender a administrar el tiempo.

Una vez que tenga clara la meta por la cual va a trabajar, debe decidir dos cosas. La primera es, decida empezar a hacer las cosas que lo acercarán a su meta, dejando de participar en las cosas que lo alejen de ella, y la segunda es, decida trabajar primero en la cosa más importante.

Así, en realidad, usted no estará controlando el tiempo. Estará controlándose a sí mismo, de modo que pueda obtener el máximo beneficio del tiempo. El asunto es que uno no puede controlar el tiempo. El tiempo continúa avanzando hacia adelante. No hay nada que se pueda hacer para que ocurra de forma distinta. Lo que en realidad usted va a estar haciendo, es fijando prioridades y concentrándose en ellas.

El primer paso que debe dar es hacer una lista de las cosas que uno necesita hacer para alcanzar sus metas. Allí se debe establecer una lista de prioridades. El siguiente paso es planear las semanas y los días por adelantado. El domingo en la noche es un buen momento para planear la semana. Recuerde, los planes pueden cambiar. Pero el hecho de planear hace que uno piense por adelantado en lo que va a encontrar durante el camino, lo que a la larga le permite ahorrar tiempo.

¿Por qué planear la noche anterior? Porque si lo hace, su mente subconsciente trabajará en la lista de tareas durante toda la noche. Con frecuencia uno descubre en la mañana que tiene nuevas ideas que le ayudarán si las pone en práctica durante el día.

También es sumamente importante asignar un nivel de prioridad a cada tarea de la lista. Esto es fundamental porque cuando uno decide trabajar en una tarea en particular, también está decidiendo no trabajar en las otras tareas de la lista. La elección que usted haga, respecto a cuál tarea emprender, determinará su futuro. ¿Desea usted dejar el futuro al azar?

Una vez que empiece a trabajar en una tarea, hágalo hasta completarla. Concéntrese en una sola tarea a la vez. Thomas Edison afirmó que su éxito se debía a trabajar continuamente en una tarea hasta terminarla. Si aquello fue suficientemente bueno para Edison, ¿lo será también para usted y para mí?

Programe su día de tal forma que pueda tener periodos largos e ininterrumpidos de trabajo. Lapsos entre sesenta y noventa minutos. Cuando la mente puede concentrarse en una sola tarea durante largos periodos de tiempo, logra hacer más trabajo del que se puede hacer desarrollando varias tareas simultáneamente.

Finalmente, aprenda a decir "No" a cualquier cosa que lo aleje de sus metas. Enfoque su mente de forma exclusiva para alcanzar sus metas. Le sorprenderá ver cuánto puede lograr en la vida.

Póngalo en práctica:

Planee por adelantado. Asigne un nivel de prioridad a sus tareas. Concéntrese atendiendo una sola tarea a la vez. Apéguese a su plan.

"Aborde los problemas como parte inevitable de la vida. Cuando estos surjan, mantenga erguida su cabeza, mire el problema directamente a los ojos y dígale: ´Seré más grande que tú. No podrás vencerme´"

—Ann Landers

PARTE SEIS

CÓMO VENCER LOS DESAFÍOS EN CAMINO A LA CIMA

UN MAL DÍA EN LA PISTA. UN PIE LASTIMADO, UN BRAZO ROTO, EL TRINEO ESTROPEADO Y UN FINAL APRESURADO PARA UNA TEMPORADA DE LUGE.

El costo del éxito

Las personas promedio esperan que sus sueños y metas ocurran por casualidad. No están dispuestas a sortear los inconvenientes para hacer sus sueños realidad. No están dispuestas a hacer nada fuera de su zona de confort. No se ponen a favor de nada, no se comprometen con nada, andan a la deriva en la vida. Por eso es que son personas promedio. No están dispuestas a hacer lo que la gente exitosa está dispuesta a hacer. Por consiguiente, no viven la vida; simplemente existen. Sólo ocupan espacio.

Si uno quiere tener éxito en la vida debe estar dispuesto a incomodarse en gran medida. Uno tiene que estar dispuesto a comprometerse consigo mismo y con su sueño. Debe estar decidido a enfrentar sus temores y a hacer cosas incómodas. Uno tiene que estar alerta para hacer cosas que la gente promedio no está dispuesta a hacer. El éxito no tiene nada que ver con la aptitud. Más bien, tiene que ver con la actitud de estar dispuesto a hacer lo que sea necesario para que se haga bien el trabajo.

El general William Westmoreland en una ocasión inspeccionó un pelotón de paracaidistas en Vietnam. A medida que revisaba las filas, les hacía a los soldados la misma pregunta: "¿Le gusta saltar?" La primera respuesta fue: "Me encanta, señor." Al segundo le preguntó: "¿Qué tanto le gusta saltar?" La respuesta fue: "Es la experiencia más fenomenal que he tenido en mi vida." A continuación, le hizo la misma pregunta al tercero. La respuesta fue: "Odio saltar, señor" El general preguntó de nuevo: "Entonces... ¿por qué lo hace?" El joven contestó: "Porque me gusta estar con personas que les gusta saltar" Sí, ¡ese hombre tenía la actitud correcta!

Cierto día, estaba conversando con Rudy Ruettiger, el hombre que inspiró la película "Rudy," y le mencioné que a mí no me gustaba el *luge*. Le dije a Rudy que participaba en el *luge* porque era mi opción para ir a los olímpicos. Rudy exclamó: "A mí no me gustaba el fútbol. Mi sueño era hacer parte de la tradición de Notre Dame, y ¡vi en el fútbol una oportunidad de lograrlo!"

A veces uno tiene que hacer cosas que no le gustan a fin de llegar a donde quiere. El paracaidista estaba dispuesto a saltar de los aviones a fin de poder estar en la compañía de personas que les gustaba saltar. Yo estuve dispuesto a tirarme por la pista de hielo a fin de participar en los olímpicos. Rudy estuvo dispuesto a batirse en un campo de fútbol con el fin de hacer parte de la tradición de Notre Dame.

¿Qué hay de usted? ¿Hay algo que lo esté reteniendo de alcanzar su sueño? ¿Hay algo que le impida emprender la acción? No permita que nada le impida alcanzar su sueño. Le garantizo que la satisfacción que experimente cuando realice sus aspiraciones y sueños hará que el costo que pagó parezca insignificante.

El costo del éxito es grande, pero el costo del pesar que surge al no perseguir los sueños es cien veces más alto. Tome una decisión de hacer lo que sea necesario para alcanzar sus metas y sueños, y haga de su vida una aventura.

Póngalo en práctica:

Actúe a pesar del temor. Esté dispuesto a incomodarse a fin de alcanzar sus sueños.

Elimine los obstáculos

El éxito consiste en ir del punto A al punto B. Consiste en conocer muy bien el lugar donde uno está y el lugar a donde uno quiere llegar. El éxito simplemente consiste en fijarse una meta y alcanzarla.

El éxito es sencillo, pero no es fácil de alcanzar. La mayoría de las personas permiten que el temor o el fracaso les impida intentar perseguir sus sueños. No comprenden que el fracaso es parte del precio que se paga antes de alcanzar el éxito. Usted debe estar preparado para enfrentar el fracaso muchas veces antes de poder alcanzar sus metas. Así es la vida. Y puesto que en el camino al éxito uno se encuentra con muchos obstáculos, es muy importante aprender a retirar esas barreras, estorbos y cuellos de botella que se interponen entre uno y su meta.

Una vez que usted haya fijado su meta, escriba todos los obstáculos que pudieran estarle estorbando. Luego, concéntrese en encontrar las soluciones a esos obstáculos. Esto puede parecer simplista. Pero el asunto es que si usted se concentra en enfocar toda su energía para sobrepasar esos obstáculos, los superará y como consecuencia, acelerará su progreso.

Einstein dijo que uno no puede resolver los problemas con el mismo nivel de pensamiento con el cual uno se metió en ellos. De modo que necesitamos ayuda. Aquí es donde tener un mentor o un entrenador puede servir mucho.

Las personas exitosas no se dan por vencidas. Se enfocan en encontrar soluciones para sus problemas. Cada vez que usted encuentra la solución a un problema sus "músculos soluciona problemas" se fortalecen. La habilidad para solucionar problemas mejora a medida que la utilizamos.

En la ruta hacia el éxito siempre aparecen obstáculos. Si usted desarrolla la habilidad para mirar hacia delante y remover obstáculos, podrá alcanzar sus metas más rápido de lo que imagina. Uno puede anticiparse a esos obstáculos a través de su propia experiencia o mediante la experiencia de sus mentores o entrenadores.

Con frecuencia, el 80% de los obstáculos proceden de nuestro interior. Muchas veces uno es el obstáculo más grande para alcanzar sus sueños. Las personas exitosas saben esto muy bien. Por ello es que invierten bastante tiempo al tema del desarrollo personal. Comprenden que mientras más se desarrollen, mejores resultados tendrán.

Dos cosas que impiden a la gente desarrollar valor para alcanzar el éxito son el temor y la duda. La mayoría de las personas simplemente no creen en sí mismas. Por ello es que los libros que leemos y las personas con las cuales nos asociamos tienen tanto impacto en nosotros. Una forma de vencer el temor y la duda consiste en adquirir conocimiento y desarrollar habilidades. Si uno sabe cómo hacer algo, adquiere más confianza. Uno adquiere conocimiento de lo que lee y de las personas con las que se asocia.

Una vez que identifique el obstáculo que le impide avanzar, póngase la meta de vencer ése obstáculo. Al hacerlo, estará adquiriendo mayor control de su vida, y sus resultados y autoconfianza mejorarán. No fije simplemente una meta, también fíjese un tiempo límite para cumplirla. Desarrolle un plan y póngase a trabajar. Tan pronto como remueva el obstáculo que le impide avanzar, usted empezará a dar pasos agigantados hacia la consecución de sus metas y sueños.

Póngalo en práctica:

Identifique los obstáculos que le impiden alcanzar sus metas y supérelos uno a uno. Asesórese de su mentor o entrenador en cuanto al plan de acción a seguir.

Se recuperó rápidamente para ganar

En el año de 1938, Karoly Takacs del ejército húngaro, era el mejor tirador al blanco del mundo. Se esperaba que ganara la medalla de oro en los olímpicos de Tokyo de 1940. La esperanza de Takacs se desvaneció un fatídico día, justo unos meses antes de los olímpicos. Mientras ensayaba maniobras militares con su escuadrón, una granada de mano le explotó en su mano derecha, la que utilizaba para practicar tiro.

Takacs permaneció un mes en el hospital. Estaba deprimido tanto por la pérdida de su mano como por la imposibilidad de realizar su sueño olímpico. En esa situación la mayoría de las personas se hubieran dado por vencidas y posiblemente hubieran pasado el resto de su vida lamentándose por el accidente. No obstante, Takacs era un ganador. Los ganadores no dejan que las circunstancias los derroten. Comprenden que la vida es dura y que no pueden permitir que las circunstancias los venzan. Los ganadores saben en su corazón que retirarse no es una opción.

Takacs se repuso de esa situación, se sacudió el polvo y decidió aprender a disparar con su mano izquierda. Su lógica era simple, preguntaba: "¿Por qué no?" En vez de concentrarse en lo que no tenía, es decir una mano que disparaba al blanco de talla mundial, decidió concentrarse en lo que sí tenía; una increíble agudeza mental y una mano izquierda saludable, con las cuales podría desarrollar las destrezas necesarias para convertirse en un campeón de tiro.

Takacs empezó a practicar por su cuenta. Nadie sabía lo que estaba haciendo. Tal vez él mismo no quería revelarse ante la gente, la cual seguramente intentaría desalentarlo de querer avivar su sueño. No obstante, en la primavera de 1939, se presentó en el campeonato nacional de tiro de Hungría. Allí, otros deportistas se acercaron a Takacs para darle sus condolencias y felicitarlo por haber tenido el valor de venir a verlos disparar. Pero se sorprendieron cuando él les dijo: "Yo no vine como espectador, vine a competir." ¡Se sorprendieron aún más cuando Takacs ganó!

En el año 1948, Takacs clasificó para los olímpicos de Londres. A la edad de 38 años, ganó la medalla de oro y estableció un nuevo récord en tiro con arma de fuego. Cuatro años más tarde, en 1952, ganó la medalla de oro en los juegos de Helsinki. Esta es la historia de Takacs, un hombre con fortaleza mental, dispuesto a recuperarse de cualquier cosa y salir adelante.

Los ganadores de cualquier disciplina tienen una característica que les ayuda a volverse imparables. Es una característica especial que les permite sobreponerse a los reveses que encuentran a lo largo del camino hacia el éxito. Los ganadores se recuperan rápidamente. Pero estar de vuelta no es suficiente. Los ganadores están de vuelta rápidamente. Asumen su golpe, experimentan la dificultad. Pero se recuperan inmediatamente. Se obligan a sí mismos a ver el lado positivo de las cosas, CUALQUIERA que sea ese lado positivo. Se dicen a sí mismos: "No hay problema. Siempre habrá una forma de lograrlo. Yo la encontraré." Se sacuden el polvo y se levantan del lugar en el cual cayeron.

La razón por la cual la recuperación rápida es importante, es debido a que si la recuperación es rápida no se pierde el momento y el rumbo. Takacs se recuperó en tan solo un mes. Si él se hubiera sumido en la tristeza, si hubiera actuado como mártir, sintiendo pena de sí mismo por un largo tiempo, hubiera perdido su agudeza mental, su "ojo de tigre" y nunca hubiera vuelto a estar en condiciones de regresar.

Cuando un boxeador es derribado tiene diez segundos para levantarse. Si lo hace en once segundos, pierde la contienda. Recuerde eso la próxima vez que sea derribado.

Takacs tenía el derecho de sentir pesar de sí mismo, de deprimirse y preguntar durante el resto de su vida: "¿Por qué yo?" No obstante, él tomó la decisión de buscar dentro de sí y de hallar una solución; decidió levantarse y estuvo dispuesto a aprender a disparar por segunda vez. Los ganadores siempre buscan una solución. Los perdedores siempre buscan la forma de escapar.

La próxima vez que usted sea derribado, actúe como un ganador. Actúe como Takacs. ¡Levántese rápidamente y asombre al mundo!

Póngalo en práctica:

La próxima vez que la vida lo derribe al piso, haga de cuenta que es un boxeador que tiene que hacer lo que sea necesario para ponerse de pie de nuevo, antes de que finalicen los diez segundos. Concéntrese en lo rápido que debe recuperarse. Mientras más tiempo permanezca en el piso, más difícil será levantarse. Recuerde, un revés es una oportunidad de recobrarse.

Ni siquiera el cáncer pudo detenerla

Dos días después de terminar las competencias de los olímpicos de Salt Lake City, estaba sentado en la villa olímpica tomándome un expreso. Estando allí, conocí a una mujer increíble de Hungría; su nombre, Ildiko Strehli.

Ella tenía alrededor de 35 años y yo 39. Permanecimos hablando como dos marcianos en medio de los demás atletas. (La edad promedio de los deportistas olímpicos de invierno es de 20 años. Cuando uno entra en la villa olímpica, se siente como si estuviera en el campus de alguna universidad y donde todo el mundo está en un excelente estado físico. Yo me veía mucho más viejo que los demás atletas y casi todos los días me preguntaban si yo era un entrenador.)

Yo le pregunté a Ildiko cómo era su historia para estar en los olímpicos. ¡Su historia me asombró! Desde que tenía ocho años de edad, Ildiko Strehli había soñado con competir en los olímpicos en la disciplina del *bobsled*. Bueno, ella tenía un deseo 25 años adelantado en el tiempo, ya que las mujeres no empezaron a participar en este deporte sino hasta cuando se convirtió en deporte olímpico en 2002.

Ildiko era instructora de ski en Park City cuando se anunció que habría una competencia de *bobsled* para mujeres en los olímpicos de Salt Lake City. Ella tenía solo cuatro años para prepararse. De inmediato se inscribió en la escuela de *bobsled* de Salt Lake City.

Pero no podía hacerlo sola. Tenía que crear un equipo de *bobsled* de la nada. Ildiko regresó a su país, Hungría.

Hizo algunas pruebas para buscar a un co-equipero fuerte y rápido para que fuera su "frenador." El frenador nos ayuda a empujar el trineo al inicio y a frenarlo al final de la carrera. Una lanzadora de disco, Eva Kurti se convirtió en su frenadora.

Ildiko ya tenía un equipo. No obstante, todavía no tenían trineo. De modo que Ildiko utilizó todo el cupo de sus tarjetas de crédito, compró un trineo y comenzó a entrenar. Sólo los primeros quince equipos del mundo competirían en los olímpicos. Pero dos años antes de Salt Lake City a Ildiko le diagnosticaron cáncer de seno por el cual debían realizarle una mastectomía doble. Cuando estuvo interna en el hospital, pensó: "Esto se acabó. ¿Cómo puedo entrenar para los olímpicos? ¡Apenas tengo fuerza para caminar!"

Sin embargo, cuando Ildiko estaba en lo profundo de la depresión y el desánimo, Eva, su coequipera, le trajo a Ildiko el libro de Lance Armstrong "*No se trata de la bicicleta: Mi viaje de vuelta a la vida.*" El libro trata acerca de cómo Armstrong venció el cáncer y ganó el Tour de Francia una y otra vez. Ildiko se entusiasmó con la posibilidad y se llenó de nuevos propósitos. Tomó una decisión: "Voy a hacer esto no por mí misma. Voy a clasificar para ir a los olímpicos para demostrar que los que sobreviven al cáncer también pueden realizar sus sueños."

Ildiko escribió un letrero en un costado de su trineo con las palabras: "Trineo lleno de esperanza," y empezó a entrenar de nuevo. Contra todos los pronósticos Ildiko y Eva clasificaron en la posición quince y se convirtieron en deportistas olímpicos de invierno.

Cuando Ildiko me contó su historia, mis ojos se llenaron de lágrimas. Le dije: "Ildiko, tú eres todo lo que es un deportista olímpico. Tú de verdad tienes el espíritu olímpico. No me importa si obtienes la medalla o no. ¡Tu esfuerzo vale más que todas las medallas combinadas!"

Ella sonrió y dijo: "Yo simplemente deseo que quienes sobreviven al cáncer entiendan que el cáncer puede cambiar tu vida, pero que tú no debes permitirle al cáncer cambiarte a ti; y que no sientan temor de soñar y de soñar en grande. Si yo puedo hacerlo, ellos también."

Sin importar cuáles sean las circunstancias, si uno cree que algo es posible, y si encuentra una meta sublime que lo inspire, puede lograrlo; uno puede alcanzar sus sueños.

Póngalo en práctica:

Encuentre un propósito sublime que lo inspire para alcanzar su sueño. Rodéese de personas que no le permitan darse por vencido. Encuentre un mentor o entrenador que le ayude a perseverar.

¿Ya notó el modelo? Las personas exitosas hacen lo que sea para incrementar sus posibilidades de éxito. Están dispuestas a hacer lo que sea necesario para alcanzar sus metas. Ponen el viento a su favor para que cuando la vida les dé una mala pasada, puedan recuperarse y salir triunfantes.

Por ello es que resulta vital tener un entrenador o un mentor. Por ello es que es tan importante asociarse con personas que vean las cosas de la misma manera en que uno las ve.

Le recomiendo ver la película "Miracle." Ésta trata sobre el equipo de Hockey americano que batió a los rusos en los olímpicos de Lake Placid en 1980. Nunca lo hubieran logrado sin la ayuda de su entrenador.

También vea "Rocky." ¿Cree usted que Rocky hubiera podido llegar tan lejos sin la ayuda de su entrenador, Mick? Cierto, Rocky es un personaje ficticio, pero ¿ha visto usted a algún atleta profesional sin un entrenador?

Su vida es mucho más importante que un juego o un campeonato. ¿No cree usted que, de igual modo, sería bueno tener a alguien que le pueda ayudar? Recuerde, la mejor manera de cruzar un campo minado es seguir a alguien, preferiblemente alguien que ya lo haya cruzado.

Cómo eliminar sus creencias auto limitantes

La única manera de mejorar su vida es cambiar sus concepciones respecto de sí mismo y de sus posibilidades. Sólo cuando uno cree que algo es posible, puede emprender la acción.

¿Le gustaría aumentar sus ingresos al doble? ¿A quién no? Pero aquí está el punto... ¿Cree usted que eso es posible? Si usted no cree que eso sea posible usted no hará lo que sea necesario para lograrlo.

¿Con quienes se asocia usted? Póngase la meta de asociarse con personas que ganan muchas veces lo que usted gana. Yo estuve hablando con dos millonarios esta mañana. Al hacer eso, ¿sabe lo que está pasando? Empiezo a creer que yo también puedo hacerlo. Todo tiene que ver con lo que usted sinceramente crea.

Le garantizo que si yo no hiciera de ello una prioridad, asociarme con millonarios, nunca desarrollaría la creencia de que yo también puedo llegar a ser uno. A propósito, ellos también hacen lo mismo, sólo que agregan unos ceros más. Los millonarios se asocian con multimillonarios. No es un chiste.

Realmente no hay diferencia con lo que les decimos a los niños. El estudiante C no puede enseñarle a uno a convertirse en un estudiante B, y un estudiante B no puede enseñarle a uno a convertirse en un estudiante A. Si todo lo que uno hace es asociarse con personas promedio, esto es lo que ocurrirá. Usted empezará a creer que tiene una inteligencia promedio, una creatividad promedio, un talento promedio, una capacidad promedio y habilidades promedio. Y, ¿sabe qué? En casi todos los casos esas concepciones son incorrectas.

Cuando usted comienza a asociarse con ganadores, usted empieza a darse cuenta que ellos no son más inteligentes, talentosos o sagaces que las demás personas. Usted descubre que ellos son gente normal pero con deseos, creencias, enfoque y disposición extraordinarios para hacer el trabajo. Usted se asocia con ellos lo suficiente y empieza a ver las posibilidades. Comienza a darse cuenta que usted también tiene lo que se necesita. Empieza a desarrollar esperanza, convicción y fe en el futuro. Y cuando eso empieza a suceder, está listo para emprender la acción. Porque cuando hay fe en el futuro, hay fuerza en el presente.

Todas las creencias se adquieren. Las creencias se pueden aprender y desaprender. Usted necesita aprender que tiene lo que se necesita para alcanzar el éxito. Porque, de hecho, lo tiene. La próxima vez que tenga una creencia auto limitante, dígase a sí mismo: "¿Qué hay si eso no fuera cierto del todo?" Empiece a pensar respecto de sí mismo de forma diferente. Una vez lo haga, su vida cambiará. Usted empezará a doblar o a triplicar su salario. Aprenderá nuevas habilidades y asumirá nuevos desafíos, establecerá metas más grandes y se dedicará de todo corazón a alcanzarlas. Empezará a asumir pleno control de su vida.

Usted necesita empezar a creer que está destinado a alcanzar el éxito en la vida, lo que quiera que éste represente. Dígase a sí mismo: "Estoy destinado a alcanzar el éxito en la vida." Y una vez usted lo crea, empezará a ver que todo lo que le ocurre pareciera ser parte de un gran plan para hacerlo exitoso. Es lo que me ocurrió a mí, y es también lo que le ocurrirá a usted.

Hasta cuando me rompí algunos huesos con el *luge*, también creí que algo bueno se derivaría de ello. Asumí que eso también era parte del plan. Me convencí de que lo que no me mataba me hacía más fuerte. Usted también necesita empezar a pensar de la misma forma. Cada vez que tengo un retroceso, procuro aprender una lección de ello. Lo decidí en mi mente, no importa lo que suceda, voy a ganar. Cuando usted empieza a pensar de esa forma, nada puede detenerlo.

Haga una prioridad el controlar sus pensamientos. La gente se asombrará de lo que puede lograr.

Póngalo en práctica:

Asuma el control de sus creencias. La grandeza reside en usted. No aspire al segundo lugar. Conviértase en un paranóico a la inversa. Una persona paranoica cree que el mundo está conspirando para hacerle daño. Un paranoico a la inversa cree que el mundo está conspirando para ayudarle. Los paranoicos a la inversa saben que si una puerta se cierra, Dios abre otra mejor y más grande.

¿Qué lo retiene?

La mayoría de las personas consideran sus obstáculos como la razón por la cual no pueden hacer sus sueños realidad. Miran el obstáculo, se desaniman (se descorazonan), y se retiran. Los ganadores miran el obstáculo, se llenan de valor y se resuelven a superarlo.

Cuando decidí emprender el deporte de *luge* y entrenar para los olímpicos, cuatro años antes de que ocurrieran, sabía que tenía dos grandes obstáculos que superar. Tenían que ocurrir dos cosas o de lo contrario tendría que resignarme a ver los olímpicos por televisión. Primero, debía aprender a practicar el *luge* (antes no sabía siquiera deletrear la palabra luge), y segundo, tenía que clasificarme entre los 50 mejores practicantes de *luge* en el mundo.

Tenía frente a mí sólo dos temporadas de *luge* para aprender a deslizarme, ya que durante las dos últimas, tendría que competir internacionalmente para clasificarme en el ranking mundial. La mayoría de las personas habrían visto esos dos obstáculos y quizás se hubieran dado por vencidos antes de comenzar.

Usted puede leer el relato de cómo lo hice y cómo utilicé los mismos principios para conducir varios negocios exitosos, en mi libro *"El coraje de triunfar."* Todo tiene que ver con desarrollar la fortaleza mental. Usted puede desarrollar fortaleza mental mirando el obstáculo, llenándose de valor y resolviéndose a superarlo.

Con frecuencia todo lo que uno necesita para vencer los obstáculos es aprender algunas destrezas nuevas. En otras ocasiones uno tendrá que refinar algunas habilidades. También podrá necesitar la ayuda de otras personas. Yo lo hice y ¡sí que funciona! Usted podrá necesitar conformar un equipo. La mayoría de las veces los obstáculos son internos, los crea uno mismo. Por ejemplo, la falta de fe y la duda de que puede llevarlo a cabo.

Los obstáculos en sí mismos no son malos. Son simplemente señales en el camino que le indican a uno donde trabajar y dónde enfocarse. Los obstáculos con frecuencia nos ayudan a determinar lo que se necesita para alcanzar las metas.

¿Qué le impide realizar sus metas? ¿Qué es aquello que le está demorando su avance? Su tarea será identificar esos obstáculos y concentrar todas sus energías en hacer lo que sea necesario para superarlos. Hágalo. Sus sueños lo están esperando.

Póngalo en práctica:

Haga una lista de los tres obstáculos más grandes que le impiden alcanzar sus sueños. ¿Qué puede hacer hoy para superar esos desafíos? ¿Conoce a alguien que haya tenido y superado esos mismos retos? Comuníquese con esa persona, invítela a tomarse un café con usted, averigüe cómo lo hizo. Seguramente esa persona estará complacida en ayudarle. A la gente exitosa le gusta hablar de sus éxitos. Haga que su mentor o entrenador le ayude a desarrollar un plan para eliminar los obstáculos, de modo que pueda crear el ambiente y el momento propicios para trabajar por sus sueños.

Cómo convertir la derrota en triunfo

Nunca lo olvidaré. Estuvimos entrenando durante una semana en Sarajevo, Yugoslavia, una ciudad antigua del éste de Europa. Teníamos sólo dos horas para conocer el lugar, de modo que fuimos a la ciudad antigua. Las calles de la vieja Sarajevo eran demasiado estrechas para el paso de los vehículos. El aire estaba lleno de humo ya que muchas personas todavía cocinan con leña. Y en todas partes se veían minares altos, un claro recordatorio de que estábamos en Eurasia, lejos de casa. Caminar por las calles de la vieja Sarajevo le hace sentir a uno como si hubiese retrocedido en el tiempo.

Imagine mi sorpresa cuando entré en un café lleno de humo, quería tomar un vaso caliente de café turco, y escuché la televisión en inglés. Hace años nadie hablaba inglés en Sarajevo. Todo el mundo hablaba servo-croata. La televisión transmitía el canal ESPN. ¡Me maravillé! Esa fría mañana escuche un comercial que nunca olvidaré. Usted probablemente también lo ha visto. Es el siguiente...

"Mi compañía me ha llamado más de 3.000 veces para trabajar, y no hice lo que se esperaba que hiciera. La compañía me ha llamado 26 veces para revisar las actividades al final del día y no pude hacerlo. He sido parte del fracaso de mi compañía unas trescientas veces. Y todavía me consideran el más grande jugador de baloncesto que ha vivido. Soy Michael Jordan."

"Me llamaron unas tres mil veces para hacer lanzamientos y fallé. Mi equipo me pidió que hiciera el último lanzamiento del juego unas 26 veces y también fallé.

También he sido parte de más de 300 derrotas de los Chicago Bulls."

"La próxima vez que los Bulls jueguen y que queden de dos a tres segundos para terminar el juego, todo el mundo sabe a quién van a llamar para hacer el último lanzamiento. ÉL no teme perder. Él no teme la derrota."

¡Genial! El comercial de Michael Jordan vino en un buen momento. En aquel entonces la pista de Sarajevo era la más rápida del mundo. Alcanzábamos velocidades de más de los 150 kilómetros por hora. A esa velocidad uno siente como si fuera una casetera con el botón de adelantar cinta atascada, y que no puede parar. Yo no sé si los demás sentían lo mismo, pero yo sentía miedo cada vez que corría. Lo único que yo hacía era actuar a pesar del temor a fin de hacer mi sueño realidad.

Y eso es exactamente lo que USTED necesita hacer. *Actuar a pesar de sus temores.* Cada vez que usted hace algo que teme, adquiere mayor fortaleza, confianza, coraje, y fe. Usted debe detenerse y mirar al temor a los ojos y hacer lo que cree que no puede hacer. ¿Cómo hacer eso? Es muy fácil: encuentre un sueño lo suficientemente grande que sobrepase sus temores, un sueño que le haga contener el aliento.

Cualquier persona exitosa le dirá lo mismo. Le dirán que fracasaron muchas veces en su camino al éxito. Desde 1984 he corrido unas 2.000 carreras de *luge.* De todas esas, recuerdo sólo dos de las cuales estoy orgulloso. ¡Dos carreras en las cuales le di al clavo! Pero aún aquello es relativo. Le apuesto a que mi entrenador, quien fue tres veces campeón mundial, piensa que esas dos carreras no son nada de lo cual sentirse orgulloso. Pero, ¿sabe una cosa? Esos 2.000 mil fracasos me han llevado a los olímpicos tres veces. Fracasé muchas veces en mi camino al éxito. Tal vez usted diga que me estrellé muchas veces en mi ascenso a la cima.

Si su sueño es suficientemente grande, usted estará en condiciones de ir de fracaso en fracaso sin perder el entusiasmo. Más adelante, usted mirará en retrospectiva y verá esos fracasos en su verdadera dimensión: una escuela de entrenamiento para alcanzar el éxito. Los fracasos que uno experimenta le dan el entrenamiento que uno necesita para lograr la victoria. Una vez que uno empiece a ser exitoso, la clave es pasar de un éxito al otro sin perder la humildad.

El café turco estaba un poco fuerte, pero me alegro de haber entrado en aquel café de Sarajevo...

Póngalo en práctica:

Actúe a pesar de sus temores. Si usted hace lo que teme, el temor desaparecerá. Aumente su número de fracasos a fin de acelerar el éxito.

Haga frente a los tiempos difíciles con una voluntad fortalecida

"Muchas veces me he arrodillado con la pasmosa convicción de que no tengo otro sitio a donde ir. En muchas ocasiones los retos del día se salen de mi comprensión."
—Abraham Lincoln

Los seres humanos fuimos creados para realizar nuestros sueños. Por esa razón, nadie se sentirá plenamente realizado sino hasta cuando haya superado todos los obstáculos que restringen y limitan sus más sublimes aspiraciones.

Pero usted deberá estar dispuesto a pagar el precio. Habrá una lucha. Así es como se fortalecerá. Usted tendrá que desarrollar una voluntad inconquistable.

Tener una voluntad fuerte es un asunto de actitud. Implica tomar la decisión de no darse por vencido. Es un asunto de decisión. Usted no avanzará mucho si no decide superar por completo los obstáculos que lo detienen.

Usted experimentará tiempos difíciles. Usted deberá enfrentar sus temores. Todo el mundo teme a algo. Aunque el temor y la ansiedad inunden sus pensamientos siempre existe un lugar para la fe. Si usted está intentando lograr algo grande y descubre que sus rodillas están temblando, inténtelo arrodillado. Ore a Dios y pídale fortaleza y sabiduría. Descubrirá que pronto recupera las fuerzas para luchar.

La oración surte efecto. Si usted no se vale de la fuerza y la sabiduría que Dios da, está desaprovechando el recurso más grande de su arsenal. Usted no podrá hacerlo solo por sus fuerzas. Es sabio buscar la guía de Dios.

¡Ore como si dependiera de Dios y actué como si dependiera de usted!

A medida que su confianza en Dios crezca, también aumentará su propia autoconfianza. Una vez que usted empiece a creer que está siendo utilizado por Dios para lograr grandes cosas, ¡nada le detendrá!

Póngalo en práctica:

Válgase del poder de la oración para obtener la fuerza y la sabiduría que necesita para ganar en grande.

Asuma responsablemente el control de su vida

Imagine que es el capitán de un velero y que está al inicio de una final olímpica. Usted se ha estado preparando cuidadosamente y está concentrándose en aprovechar las condiciones del tiempo (corrientes, vientos) y en la posición de los demás botes veleros compitiendo en la carrera.

Usted no puede controlar las condiciones externas. Pero sí puede controlar dos cosas: lo que usted piense y lo que usted haga. La forma como controle esos dos aspectos en respuesta a las condiciones externas determinará los resultados de la carrera. Usted asume la responsabilidad por los resultados, y como consecuencia, se siente al mando, confiado, fuerte y listo para ganar. Usted siente la emoción del desafío que enfrenta. ¡Se siente eufórico!

Otro de los participantes en la contienda deportiva, un novato, no se muestra muy concentrado en ganar la carrera. Está distraído pensando en que el viento no está soplando como él quiere y en que las corrientes no son las que esperaba, y piensa que los demás tienen mejores veleros y mejores tripulaciones que las que él tiene. El novato se está lamentando, quejando y actuando como una víctima. Aquel hombre está concentrado en lo que no puede controlar, es decir, en las circunstancias. No asume ninguna responsabilidad. Se siente asustado y sin control. Se siente terrible.

No resulta fácil imaginar quién ganará la competencia. Ganar en la vida, como lo es también ganar en una regata, no es un asunto de lo que le suceda a uno. Ganar, tiene que ver más con la forma en que uno asume las circunstancias. Es un asunto de madurez, de asumir la responsabilidad y de hacer que el trabajo se haga.

Lo que usted experimenta en el presente es el resultado de las decisiones que tomó en el pasado. Lo que ocurra en el futuro, también depende de usted. Usted está al mando. Es el capitán de su propio velero. Usted puede hacer que el barco de su vida ande a la deriva o puede hacer que se dirija al rumbo deseado.

En el momento en que usted asume la entera responsabilidad de su vida, en ese momento empieza a crecer. La mayoría de las personas le echan la culpa a los problemas, a otras personas o a las circunstancias. Dicen que la vida no es justa. Las personas que actúan de esa manera nunca maduran. Se quedan esperando a que mamá o papá intercedan ante sus desafíos auto-impuestos.

La próxima vez que usted esté ante una situación difícil, en vez de echarle la culpa a las circunstancias, diga: "Yo soy responsable. Puedo arreglar esta situación." Tan pronto como se haga responsable, su actitud mental completa pasará de ser de una mentalidad de víctima a una mentalidad victoriosa. Las palabras "Yo soy responsable," hacen que los sentimientos y las emociones negativas desaparezcan. Cuando se sienta desanimado, diga: "Yo soy responsable," y observe lo que ocurre con sus emociones. ¡Se sorprenderá!

Usted nunca podrá fijar y lograr sus metas si se encuentra en un estado mental negativo. Pero una vez que asuma su responsabilidad, se liberará mental y emocionalmente y empezará a canalizar todas sus energías en el trabajo a realizar. La clave es aceptar la responsabilidad.

De ahora en adelante cuando las circunstancias no sean las ideales o acepte que no está dispuesto a hacer lo que se requiere para crear una vida mejor y deje de quejarse, o acepte el riesgo y asuma el precio de crear una vida mejor, reemplace las quejas con acciones contundentes y se sentirá mucho mejor. ¡Se lo garantizo!

Comience a verse a sí mismo como el dueño de su propio destino. Concéntrese en el futuro y en lo que puede hacer ahora para lograrlo. Mientras más responsabilidad acepte, mayor control ejercerá en su vida y será más feliz. Asuma su responsabilidad y vea cómo cambia su vida.

Póngalo en práctica:

Decida no echarle la culpa a otros de sus circunstancias y asuma la responsabilidad de su vida.

Usted está más cerca del éxito de lo que piensa

Usted ha sido diseñado con todo lo necesario para lograr que sus sueños más preciados se hagan realidad. Lo único que necesita es aprender a condicionar su mente para alcanzar el éxito. El noventa y nueve por ciento de los estímulos que recibimos del mundo son negativos. De modo que resulta esencial aprender técnicas para sustituir lo negativo por lo positivo.

En la vida uno no consigue lo que desea; consigue lo que uno es. La mejor manera de mejorar consiste en cambiar lo que pasa por la mente. Usted es un producto de lo que pasa por su mente. Lo que usted piensa determina lo que usted hace. Y lo que usted hace determina lo que usted logra.

Los atletas olímpicos saben esto. Nosotros sabemos que lo que ocurre en nuestra mente determinará -en últimas- lo que hacemos en la competencia. Piense en cada pensamiento como si se tratara de un "bit" de computador, el cual es la unidad de información más pequeña posible. Muchos pensamientos se suman para convertirse en creencias. Lo que creemos determina cuán alto llegaremos. La buena noticia al respecto es que siempre existen maneras de incrementar sus niveles de creencias.

Las creencias son sumamente importantes. Por ejemplo, en abril de 1954, se creía que era imposible correr una milla en menos de cuatro minutos. Pero entonces vino Roger Bannister e hizo lo que nadie en la historia había hecho. ¡Rompió la barrera de los cuatro minutos!

Lo fenomenal, sin embargo, es que más tarde, durante ese mismo mes, muchos otros atletas hicieron lo mismo. Desde entonces unas 20.000 personas han corrido la milla en menos de cuatro minutos. Lo único que cambió fue la creencia. De repente, los atletas pensaron: "Si Roger pudo hacerlo, por qué yo no."

La mayoría de las personas nunca intentarían hacer algo que no creen que puedan lograr. La buena noticia es que uno puede aumentar el nivel de creencia a través de los libros que lee y de las personas con las cuales se asocia. Cuando usted se relaciona con personas que piensan en grande, empieza a pensar en grande.

Algunos de los pasos básicos, pero críticos para tener éxito en la vida son: establecer metas, visualizar el resultado deseado y encontrar un mentor. Todos los atletas olímpicos que he conocido, han dado estos pasos. Es un asunto de decisión. Si usted sigue estos pasos consistente y persistentemente, logrará realizar sus metas y sueños más rápido que el 95% de las personas en el mundo.

Póngalo en práctica:

Asóciese con ganadores. Lea libros constructivos. Empiece su propia biblioteca de libros relacionados con el desarrollo personal. Asesórese de un mentor o entrenador.

Cómo desarrollar auto motivación

La razón por la cual la mayoría de las personas abandonan su sueño se debe a que olvidan por qué querían realizarlo. Una vez que uno deja de enfocarse en el "por qué," empieza a enfocarse en los obstáculos. El resultado es que se desanima y finalmente abandona. La clave para desarrollar auto motivación es encontrar un ´porque´ y mantenerse concentrado en él. Si usted hace eso, el desanimo no se asomará en su vida y usted no se dará por vencido.

Muchas personas establecen metas sin tener una razón definida y convincente. Usted necesitará tener varios "por qué" para respaldar sus metas. Un ´por qué´ poderoso es lo que diferencia a un fijador de metas de un alcanzador de metas. El "por qué" es lo que se convierte en la fuerza que lo impulsa a uno a la acción. El "por qué" es la motivación. Pero de usted dependerá convertirse en un emprendedor, en la bujía de su "por qué." Una vez su "por qué," esté en funcionamiento, éste se encargará de mantenerlo a usted en el camino.

La mejor manera de utilizar su "por qué" para hacerse imparable es crear una tarjeta "por qué." La tarjeta "por qué" debe ser escrita específicamente para usted. Usted deberá leerla todas las mañanas y noches con fuerza, pasión y convicción una y otra vez durante tres minutos. Así es como usted inicia su ´por qué´. Si lo hace de esa forma cada día, su "por qué" le conducirá automáticamente a emprender acciones contundentes para perseguir sus sueños.

El temor al fracaso es lo que le impide a la mayoría de personas realizar sus sueños. Leer la tarjeta "por qué" le permitirá derivar el valor que se necesita para emprender la acción a pesar del temor que pueda experimentar. Si su "por qué" es suficientemente grande, los hechos no contarán. Al principio, es posible que su tarjeta sea del tamaño de una tarjeta de negocios. No obstante, a medida que usted se haga más definido en cuanto a la vida que desea alcanzar, es posible que esa tarjeta se agrande y abarque varias páginas de información. Mi tarjeta "por qué" empezó pequeña y con el tiempo se convirtió en una cinta de casete de treinta minutos. Yo escucho mi cinta de camino al gimnasio y ésta me aviva el deseo de lograr lo mejor.

He aquí un ejemplo de lo que alguien pudiera escribir en su tarjeta:

> *Estoy dispuesto a hacer lo que sea necesario para realizar mi sueño, porque mi sueño transformará mi vida. Yo estoy saludable financieramente. Mi negocio está creciendo y a causa de ello, estoy pasando más y más tiempo con mi familia. Vivimos en una casa de ensueño en Colorado. También tenemos una casa de invierno en el sur de España. Viajamos por el mundo con mi familia. Veo a mis hijos utilizar los principios del éxito, lo que impacta la vida de otras personas, a medida que ellos mismos también alcanzan sus propios sueños. Estamos donando el 50% de nuestros ingresos a obras de caridad por elección nuestra. Yo estoy construyendo una biblioteca para nuestra escuela local. Yo estoy en excelente estado físico. Estoy haciendo un gran impacto en la vida de otras personas. Estoy disfrutando el fruto de mi trabajo.*

Sugerencias para escribir su tarjeta "por qué":

Su tarjeta "por qué" debe estar escrita en tiempo presente. Debe llenarse con verbos que indiquen acción. Debe hacerlo sentir fuerte y posibilitado. Si no logra eso último su sueño no es lo suficientemente grande. Sus sueños deben poder dejarlo a usted sin aliento. Si la idea de su sueño no lo hace levantar más temprano, no lo hace leer libros, escuchar grabaciones sobre motivación y asociarse con personas diferentes, eso significa que su sueño no es lo suficientemente grande.

Su "por qué" le permitirá actuar de manera diferente. Le hará comportarse de manera diferente. Lo cambiará. Lo hará mejor. Por ello es que su sueño debe ser más grande de lo que actualmente usted es. Debe hacerlo crecer. El sueño debe darle propósito a su vida.

Deje de pensar en el pasado. Comience concentrándose en su "por qué." Recuerde que usted cuenta con una enorme fuerza, dada por Dios, para hacer que su sueño se convierta en realidad. Le desafío a encontrar su "por qué," a leerlo diariamente, a compartirlo con el mundo y a hacer de su vida una aventura.

Póngalo en práctica:

Escriba y utilice su tarjeta "por qué" de modo que pueda crear y construir una vida mejor. Utilice su tarjeta "por qué" para hacerse implacable en la búsqueda de la realización de sus sueños.

Probabilidades y posibilidades

Sea que esté hablando ante un grupo de 25 personas o ante un auditorio de 10.000 personas, termino mis discursos diciendo: "¿Cuáles eran las posibilidades para alguien como yo en los olímpicos?" Yo no era un atleta sobresaliente y comencé a los 21 años de edad. Y por si fuera poco, vivo en el caliente y húmedo Houston, y elegí competir en el *luge*. ¡Vaya situación! ¿Cuáles eran mis posibilidades? ¿Una en un millón? ¿Una en 10 millones? Tal vez tenía mejores posibilidades de ganar la lotería.

"Yo simplemente era un joven común con un sueño fuera de lo común. Yo no era el gran héroe. Era simplemente alguien que lo intentaba y continuaba intentándolo. Y eso es lo que usted también puede hacer. Si usted toma la decisión de participar, aunque no sea reconocido, y si continúa intentándolo, el mundo es suyo."

Créalo o no, el secreto de crear una vida extraordinaria se encuentra justo en esas palabras. La mayoría de las personas miran sus sueños y empiezan a calcular los problemas que puedan ocurrir. Empiezan a hablar de las probabilidades y los números les impiden empezar. No comprenden que las probabilidades nada tienen que ver con el éxito. Ello se debe a que las probabilidades, si uno no empieza, se reducen a cero. No se dan cuenta de que pueden cambiar.

Cada vez que usted ejecuta una acción en relación con su sueño usted está incrementando las probabilidades de alcanzarlo. Todo depende de usted. Es usted quien tiene el control sobre ellas. Una vez que usted comprenda eso, será más fácil tomar la decisión de emprender acciones contundentes. Saber eso hace más fácil cumplir sus sueños. Una vez que se comprometa con su sueño y se decida a hacer lo que sea necesario, durante el tiempo que sea necesario, las probabilidades de alcanzar el éxito se incrementarán vertiginosamente. ¿Por qué? Porque el 99% de las personas nunca harán lo que sea necesario.

Cuando llamé desde una cabina para solicitar ayuda a algunas personas en Lake Placid para iniciarme en el *luge,* el joven de las cabinas se rió de mí. Me dijo que yo estaba muy viejo para empezar. Dijo: "Si usted quiere hacerlo a su edad y en sólo cuatro años, es imposible. ¡Nueve de cada diez personas se retiran!" Cuando yo escuché eso, me entusiasmé. Y me entusiasmé porque pude ver una oportunidad. Entonces decidí que retirarse no era una opción para mí.

Una vez tomé la decisión, todo lo que tuve que hacer fue durar más que todos los demás. El joven de las cabinas vio mis posibilidades como una entre diez. Pero yo la vi al 100% (por tanto, yo estaba dispuesto a durar más que todos los demás). Cuatro años más tarde, y después de tener algunos huesos rotos, estaba compitiendo en los olímpicos (no fue tan simple, pero enfocarme en la posibilidad me ayudó a hacer lo necesario para ser un deportista olímpico).

Déje de enfocarse en las probabilidades. Concéntrese en las posibilidades. Pregúntese: "¿Cuál es mi sueño? ¿Es ese un sueño que me deja sin alientos? ¿Es algo que me anima y le da sentido a mi vida?" Y si lo es, pregúntese: "¿Por qué no podría ser cierto en mi caso?"

No se concentre en las probabilidades. Hacerlo destruye la confianza. Una vez que usted pierde la confianza, es fácil retirarse. Deje de asociarse con personas que digan que hay que ser realista. Las personas realistas viven vidas aburridas y nunca hacen nada emocionante. Empiece a asociarse con ganadores. Yo nunca he escuchado a un verdadero ganador hablar de ser realista. Piense en tres personas a las cuales usted admire. ¡Le garantizo que ellas no están donde están por ser realistas!

Concéntrese en su sueño, escuche la voz de su intuición. Escuche a su corazón. Pregúntese, "¿Por qué no yo? ¿Por qué no ahora?" y "¿Qué puedo hacer yo ahora para acercarme a mi sueño?" Cuando usted se haga las preguntas correctas, concéntrese en las posibilidades y asóciese con personas que compartan su punto de vista. Su confianza aumentará y usted estará en vías de alcanzar su sueño. Hágalo y al final de su vida estará en condiciones de mirar atrás y decir: "¡Viví una vida maravillosa!"

"Usted siempre gana si emprende el viaje.
El viaje lo transforma. La persona que usted
llega a ser es el propósito del viaje."
—Rubén González

PARTE SIETE

CONVIÉRTASE EN TODO LO QUE QUIERA SER CUANDO CRUCE LA LÍNEA FINAL

CUATRO AÑOS DE ENTRENAMIENTO PARA CUATRO CARRERAS DE MENOS DE UN MINUTO DE DURACIÓN. NO OBSTANTE, USTED SE CONVIERTE EN UN DEPORTISTA OLÍMPICO PARA SIEMPRE. PERSIGA SU SUEÑO, CUANDO LO ALCANCE, NADIE PODRÁ ARREBATÁRSELO.

La técnica que utiliza todo campeón

Hay algo que todo atleta profesional, atleta olímpico, golfista profesional, astronauta y persona exitosa hace a fin de obtener los resultados deseados. Utilizan una técnica llamada *visualización.*

La visualización es simplemente un sinónimo para "imaginar vívidamente" lo que se experimentará cuando se alcance la meta. ¿Cómo se verá? ¿Cómo sonará? ¿Cuál será su fragancia? ¿Su sabor? ¿Cómo se sentirá? La visualización es una vista por anticipado de lo que se anhela. Es un plano mental del futuro.

Aún antes de competir en mis primeros olímpicos, cuando iba a correr, a levantar pesas, a cenar o simplemente a caminar en el centro comercial, ¿sabe lo que pasaba por mi cabeza?

En mi mente, yo estaba entrando en la ceremonia de apertura de los olímpicos y las muchedumbres ovacionando alegremente. A la derecha podía ver ondear la bandera olímpica. A mi respaldo la llama olímpica. Podía escuchar a la orquesta interpretando el himno olímpico, mi tonada preferida. ¡Y allí estaba yo! Saludando con entusiasmo a mis compañeros de equipo, y diciendo: "¡Lo logramos muchachos! ¡Lo logramos! ¡Estamos en los olímpicos!" Podía sentir la brisa suave sobre mi rostro, la nieve golpeando mi rostro, las lágrimas de felicidad en mis mejillas y la piel de gallina alrededor de mi cuerpo. ¡Estaba allí!

Cuatro años después, cuando en realidad estaba entrando en las ceremonias de apertura, resultó ser como lo había imaginado. ¡Sólo que unas cien veces mejor!

La mente no puede percibir la diferencia entre lo que se imagina vívidamente con todos los sentidos y lo que ocurre en la realidad. Al imaginar con regularidad lo que desea lograr, usted se convierte en un misil dirigido que no puede fallar en el blanco. Usted aviva la llama de la convicción y literalmente se vuelve imparable.

La visualización le ayuda a uno a desarrollar la convicción que necesitará para actuar consistente y persistentemente para lograr sus metas y aspiraciones. Ocurren milagros cuando su nombre está implicado en ellas. Los milagros fueron diseñados para que uno salga y los haga realidad. Están allí esperando que uno se decida a hacer la llamada, esperando que uno se atreva a emprender el viaje para alcanzarlos.

Si usted constantemente visualiza su milagro con los ojos de la mente, fortalecerá la creencia y el deseo que necesita para realizar el viaje. Hágalo y el éxito será una cuestión de tiempo.

Póngalo en práctica:

Dedique tiempo con regularidad para imaginar vívidamente lo que sentirá cuando alcance sus metas y sueños. Implique todos sus sentidos y permítase vivir las emociones.

Cómo beneficiarse del éxito alcanzado por otras personas

¿Alguna vez un mentor o alguien experimentado le dijo que algo no tenía sentido? ¿Le prestó atención o intentó reinventar la rueda?

La primera vez que fui a Lake Placid fue en la primavera de 1984, justo después de presenciar por televisión los juegos olímpicos de Sarajevo. Entrenamos algunas semanas con ruedas (el entrenamiento con ruedas se hace para aprender las técnicas fundamentales para guiar en el *luge*). Después, durante el invierno de ése año, regresé a Lake Placid para mi primer entrenamiento sobre el hielo. Practicar el *luge* sobre el hielo es totalmente diferente de hacerlo sobre ruedas. Sobre el hielo difícilmente se consigue algún tipo de tracción, el *luge* sobre el hielo es mucho menos indulgente. La diferencia es como comparar caminar con patinar sobre el hielo.

Cuando usted está aprendiendo a *lugear* sobre el hielo, los entrenadores hacen que uno se deslice por el lado del tercio final de la pista, donde sólo se va a una velocidad de cerca de 50 kilómetros por hora. A medida que ellos observan que su habilidad mejora, lentamente lo van promoviendo a una posición más alta en la pista. Después de varias carreras, cuando ven que uno ha mejorado, lo promueven lentamente a la parte más alta de la pista. Toma unas 100 carreras llegar a la cima de la pista.

Mi meta para la primera estación de *luge*, allá en el invierno de 1984, era la de comenzar la carrera en la cima de la pista, al final de la estación. Mi meta para la segunda estación era la de clasificar para competir en el campeonato mundial de Lake Placid. Mi plan era pasar todo el invierno allí, hacer tantas carreras como fuera posible y ver si clasificaba para la carrera que iba a tener lugar en febrero de 1986.

Tan pronto como llegué a Lake Placid, mis entrenadores fueron muy directos conmigo. Me dijeron: "Si usted permanece aquí durante todo el invierno, su progreso va a ser muy lento. Si desea progresar más rápido, necesita experimentar nuevos desafíos. Si entrena en una misma pista por más de dos semanas, se aburrirá, y una vez que eso ocurra dejará de mejorar. Usted necesita entrenar aquí dos semanas, y luego dos semanas en cada una de las pistas europeas, luego, debe regresar a Lake Placid, así será el segundo más rápido."

Lo que me dijeron no tuvo ningún sentido para mí en lo absoluto. ¿Cómo es que entrenar en Europa me ayudaría a mejorar mis tiempos en Lake Placid? Pero yo había prometido que aceptaría con humildad lo que mis entrenadores dijeran y que no los cuestionaría. Yo había prometido que seguiría todo su consejo con fe. Después de todo, ¿quién era yo para cuestionar a los entrenadores olímpicos de los Estados Unidos? Ese invierno, entrené en Europa. Aprendí varias cosas de cada pista, y cuando regresé a Placid, fui el segundo mejor. Los atletas que no escucharon a los entrenadores y decidieron entrenar en Lake Placid durante toda la estación, nunca lograron alcanzarme.

Gracias a Dios fui lo suficientemente inteligente para escuchar a mis entrenadores. Si le hubiese dado rienda suelta a mi orgullo, me hubiera perdido de competir en los olímpicos de Calgary de 1988. No permita que el orgullo se interponga en el camino y le impida conseguir sus metas y sueños. Busque a un mentor que haya hecho lo que usted espera hacer y siga su consejo a cabalidad. Se alegrará de haberlo hecho.

Cómo tener éxito cuando las condiciones cambian

¿Qué se dice usted a sí mismo cuando las condiciones del mercado, del trabajo, o del hogar cambian? ¿Las ve como algo bueno o como algo malo?

Uno de mis viejos CD que tratan sobre el éxito dice: "El éxito tiene que ver con el cambio, no con el desafío." Nunca estuve muy seguro de esa afirmación hasta cierto día en que estaba jugando *racquetball* con mi buen amigo, Todd Guest.

Todd trabaja como jefe financiero de una compañía energética de Houston. Todd estaba haciéndome pedazos en la cancha de *racquetball.* Tenía un poderosos servicio que yo no podía contestar. Se ganaba todos esos puntos fáciles y me venció los primeros tres juegos.

Al principio me sentí frustrado, luego sentí pena por mí mismo y al final me puse irritable. Mi furia hizo que cambiara por completo mi juego. Transformé mi forma de jugar de un estilo elegante a uno de velocidad y fuerza. Gané el cuarto juego y Todd me dijo: "Parece que hiciste un cambio y funcionó."

Hicimos un pequeño receso para tomar agua y empezamos a hablar del tema del éxito, el cambio y lo importante de hacer ajustes cuando no se están obteniendo los resultados deseados. Todd utilizó a su hijo como ejemplo.

El hijo mayor de Todd, Kyle, es un excelente jugador de béisbol. Hasta donde recuerdo Kyle ha estado jugando en todos los equipos de béisbol donde hay estrellas.

Estábamos hablando sobre el éxito de Kyle en el béisbol cuando Todd señaló cómo los bateadores exitosos hacen ajustes constantemente debido a los diferentes lanzadores y a las circunstancias diversas. Lo mismo sucede en otros deportes. Vea un encuentro de tenis y observe cómo un jugador gana el primer set, luego el otro jugador hace ajustes y gana el segundo y así sucesivamente.

Lo mismo ocurre en el *luge*. Usted necesita estar listo para hacer ajustes debido a las condiciones climáticas y a los cambios en la pista. Mientras más rápido se ajuste, mejor le va.

Las circunstancias cambian constantemente. En el trabajo, en el mercado, en el hogar, y en la vida. Cuando las circunstancias cambian usted tiene dos opciones: puede amargarse o puede hacer los ajustes necesarios y mejorar. El éxito tiene que ver con el cambio, no con el desafío. Los que se adaptan primero, con frecuencia vencen los obstáculos y son más propensos a ganar.

¿Acepta usted los cambios? Si así es, necesita detenerse. Aceptar el cambio es sencillamente asimilarlo. Si usted está simplemente asimilando el cambio, todavía tiene una actitud que debe ser corregida, y nunca desarrollará todo su potencial si su actitud no es la correcta.

Usted necesitará acoger al cambio. Darle la bienvenida. Los cambios lo hacen a uno mejor, cualquiera que estos sean. Las condiciones cambiantes le darán la oportunidad de brillar, y eso se debe a que, cuando quiera que haya un cambio, quien se adapte primero, gana. El cambio hace que el juego se mantenga interesante. Rece para que haya cambios. Le darán una oportunidad de brillar.

Me gustaría decirle que gané el quinto juego de *racketball*, pero Todd se ajustó a mi nuevo juego y ganó el último juego. ¡Todd, te ganaré la próxima vez!

Póngalo en práctica:

Acoja el cambio. Déle la bienvenida. Vea el cambio como una oportunidad de mejorar en la competencia.

Aproveche las oportunidades

Las oportunidades se dan en todas partes. Lo único que usted tendrá que hacer es estar atento y concentrarse en encontrarlas. Una vez que usted identifique una oportunidad y decida que está dispuesto a hacer lo que sea necesario, será sólo cuestión de tiempo antes de que logre su objetivo.

En noviembre de 1987, cuando llegamos a la pista de *luge* en St. Moritz, Suiza, estábamos a punto de comenzar el entrenamiento para clasificar en la carrera de la copa mundial. El circuito de la copa mundial de *luge*, es como un circo viajero. Cada semana usted ve al mismo grupo de atletas en una pista diferente. Usualmente viajamos los lunes, entrenamos y clasificamos de martes a viernes, competimos los fines de semana, y luego viajamos a la siguiente pista.

Tan pronto como llegamos a la pista de St. Moritz yo me di cuenta que algo era diferente. Había sólo tres trineos inscritos en las competencias dobles. El *luge* de dobles, es un deporte exigente que implica que dos atletas viajen en el mismo trineo. Ambos guían el trineo, pero sólo el hombre de arriba puede ver. El hombre de arriba da indicaciones al hombre de abajo sobre cuando girar. Implica años de trabajo desarrollar la confianza, la comunicación, las habilidades y el trabajo en equipo para hacerlo bien en los dobles. Nunca lo había hecho. Yo soy un corredor individual. ¡Pero sólo tres trineos! ¡Qué oportunidad!

En seguida fui donde mi mejor compañero en el *luge*, Pablo García de España, y le conté emocionado, "¡Esta es nuestra oportunidad! ¡Nunca tendremos otra oportunidad como esta! Tenemos que encontrar un trineo doble y correr. Si uno de esos otros tres trineos se estrellan, ¡tendremos una medalla de la Copa Mundial!"

Pablo no es un tonto. El vio la oportunidad inmediatamente. Pero todavía tenía que hablar con nuestro entrenador para que nos dejara inscribir en la carrera. Le dijo que la oportunidad era demasiado buena como para dejarla pasar. Hasta valía la pena correr el riesgo de lesionarse. El entrenador dijo: "Si pueden encontrar en esta ciudad, un trineo doble, tienen mi bendición."

Encontrar ese trineo doble en St. Moritz iba a ser un gran desafío. Aún así, en esa ciudad tienen una pista, St. Moritz no es una ciudad grande. A los pobladores allí les encanta el *bobsled* y el *skeleton* (la forma primitiva de *luge*), pero difícilmente alguien en esa ciudad practica el *luge*. Pero eso no nos importó a nosotros. Estábamos determinados a hacer lo que fuera necesario para lograr nuestra meta.

Pasé dos días tocando puertas alrededor de la ciudad y preguntado a los lugareños si tenían un trineo doble que pudiéramos alquilar. No era fácil hacer eso en un país extranjero, en una ciudad que no gusta mucho de los practicantes de *luge*. En St. Moritz se habla alemán. Idioma que yo no hablo. Pero eso no importó. Sencillamente fui, toqué puertas, balbucee una frase en alemán que me aprendí de memoria, esperando que alguien asintiera con la cabeza, la frase decía:– "*Haben sie ein doppelsitzer rennrodeln schlitten fur die weltcup renn?*" ("¿Tiene un trineo doble para la Carrera de la Copa Mundial?").

Finalmente, encontré a un hombre que tenía un trineo de 20 años, algo oxidado en su cobertizo. Accedió a alquilárnoslo. Pasamos los siguientes dos días alistando ese viejo trineo.

Al día siguiente, todo el mundo salió para vernos estrellar a Pablo y a mí intentando hacer el doble. ¡Y casi que eso ocurre! Estuvimos a punto de estrellarnos durante todo el día. Pero terminamos la carrera, en el cuarto lugar, y al final recibimos una medalla de la copa mundial (nunca habíamos visto una medalla de cuarto lugar, por lo general dan una medalla a los tres primeros puestos), nuestras fotos salieron en el periódico, y lo mejor de todo, ganamos tantos puntos al llegar de cuartos que para el final de la temporada, ¡estábamos en el puesto 14 del *ranking* mundial!

La semana siguiente, la noticia de que Pablo y yo habíamos llegado de cuartos en la copa mundial se esparció como fuego en el circuito de *luge*. Algunos atletas que no habíamos visto en St. Moritz y que escucharon lo que habíamos hecho, desestimaron lo que habíamos hecho diciendo que "habíamos tenido suerte." Pablo y yo explicamos que "la suerte no tuvo nada que ver con ello." Simplemente vimos una oportunidad, tomamos una decisión, e hicimos lo que se necesitó para ganar, y al final, ¡ganamos! En realidad lo que hicimos fue que construimos nuestra propia suerte.

Le garantizo que si usted desarrolla esa actitud, la actitud de ir por el triunfo, y de dar todo de sí, su vida será mucho más interesante. La gente se asombrará de las cosas que usted puede lograr. Salte y la malla aparecerá. ¡En serio aparecerá!

Póngalo en práctica:
Aproveche las oportunidades. No lo piense dos veces. Si se da cuenta que una oportunidad es para usted, emprenda inmediatamente la acción. ¡Se alegrará de haberlo hecho!

Como acondicionar su mente para lograr lo máximo

¿Recuerda lo que sucedió la última vez que compró un vehículo? ¿No es cierto que, de repente parecía como si todo el mundo hubiera comprado el mismo modelo y color que usted compró? ¿Sabe por qué sucedió eso? Porque comprar un auto es una experiencia emocional, lo que hizo que su cerebro empezara a concentrarse en el modelo y color del carro. Estamos hechos de esa forma... así es como funciona el cerebro.

Los últimos hallazgos científicos prueban que si uno pone regularmente por escrito sus metas, visualiza los resultados esperados y comunica fervientemente sus intereses, físicamente está cambiando las neuronas de su cerebro y creando nuevos vínculos subconscientes para que su mente se enfoque en sus metas y sueños como un misil dirigido.

En la base del cerebro, donde se conecta con la columna vertebral, existe una región llamada Sistema de activación reticular (SAR). El SAR actúa como un filtro que decide en cuáles pensamientos enfocarse en cada momento. Necesitamos este sistema de filtro porque cada segundo, hay unos 8 millones de bits de información que fluye a nuestro cerebro. ¡Debe haber una forma de filtrar el ruido! Imagine al SAR como un portero del pensamiento consciente. Por ello, es imperativo para su futuro que usted aprenda a saber cómo dejar pasar los mensajes a través del portero.

¿Qué hace que algunos mensajes pasen a través del SAR y otros no? Ello depende de lo que sea importante para usted en el momento y en lo que esté enfocado en lograr. Si su deseo es comprar una casa en la zona de las montañas rocosas, su SAR filtrará automáticamente los pensamientos que le ayudarán a conseguir esa casa, se concentrará en las personas que le ayudarán a lograrlo y en los recursos que necesitará. Lo que eso traduce es que mientras más se tengan las metas como "lo más importante en su mente," su mente subconsciente se concentrará en alcanzarlas.

Por eso es que es tan importante escribir sus metas cada día, visualizar el resultado esperado y hacer afirmaciones sobre ello con regularidad. Hacerlo, ayuda a la mente subconsciente a concentrarse en lo que es importante para usted.

La visualización se conecta con las facultades creativas de la mente subconsciente. Si usted desea tener un éxito contundente, necesita aprender a hacer que su mente subconsciente trabaje para usted. La visualización hace que su mente subconsciente busque los recursos. Ella les lleva a las personas los recursos y oportunidades que le ayudarán a alcanzar sus metas.

Cuando usted aprenda a hacer que su mente subconsciente trabaje para usted, su vida empezará a cambiar dramáticamente. Le sorprenderá despertarse en la mañana lleno de ideas que le ayudarán a alcanzar sus metas. Empezará a conocer personas que le ayudarán a realizar sus sueños. Usted será como un imán que atrae las condiciones propicias. ¡La gente dirá que usted es muy afortunado!

Así que empiece ahora mismo. Dedique tiempo cada día a escribir sus metas. Imagine vívidamente el momento en que alcanzará el éxito. Póngase frente a un espejo y con mucho entusiasmo dígase a sí mismo "¡Haré mis sueños realidad!" y lo logrará.

Póngalo en práctica:

Programe tiempo cada día para escribir sus metas e imagine vívidamente como será alcanzar el éxito.

La actitud olímpica... ¡Lo que sea que implique!

¿Por qué algunas personas persiguen su sueño mientras que otras los abandonan? Todo subyace en lo que se cree y en el deseo. Depende de si usted cree que es posible, de si usted cree que pueda alcanzarlo y de si el sueño es lo suficientemente grande para que esté dispuesto a hacer lo que sea necesario para lograrlo.

Digamos que usted cree que su sueño es posible y que considera que tiene buenas posibilidades de alcanzarlo. Ahora bien, ¿qué pasos necesita dar para hacerlo realidad?

El paso número uno es estar dispuesto a correr el riesgo. Muchas personas son capaces de ello, pero pocas están dispuestas a hacerlo. Uno siempre necesita dar algo a cambio de recibir algo mejor. La mayoría de las personas no están dispuestas a dar nada. No están dispuestas a hacer ningún sacrificio. Simplemente se imaginan que el éxito un día va a saltar a su regazo.

La vida no funciona de esa manera. No hay almuerzo gratis. No sólo usted tiene que estar dispuesto a ir por él, sino que tiene que estar dispuesto a hacer lo que sea necesario para obtenerlo. Ahora examinemos esa frase...

Usted tiene que estar dispuesto. La disposición implica ser de mente abierta. Eso significa que uno no tiene que andar emitiendo juicios. También significa que uno no debe andar excusándose. Implica que uno esté dispuesto a hacer cualquier cosa que se necesite.

El nivel de compromiso implica lo que sea que se necesite. Tener compromiso significa que usted debe tomar una decisión, sobre la cual continuará perseverando, sin importar las consecuencias.

Cuando usted tiene un objetivo claro y está comprometido, empezará a hacer de forma natural las cosas que lo llevarán hacia su objetivo, y de forma natural dejará de hacer las cosas que lo alejen de su objetivo.

Cuando uno tiene un sueño, tiene una cosa por la cual luchar. El proceso se encargará de lo demás. Lo que sea que implique no es simplemente cualquier nivel de compromiso. Implica tener un nivel ALTÍSIMO de compromiso. Y créalo o no, eso es *lo mínimo* necesario para garantizar que usted alcanzará su sueño.

Permítame explicarlo. Para alcanzar su sueño, sea éste el alcanzar la independencia económica, comprar un vehículo nuevo, llevar a su familia a Disneylandia por dos semanas, o hacer un doctorado... no importa cuál sea su sueño, usted tendrá que estar dispuesto a hacer lo que sea necesario.

Aquí está el por qué. Si alcanzar su sueño implica hacer 64 cosas, usted tendrá que hacer esas 64 cosas. Si está dispuesto a hacer solo 63, pero no las 64, entonces no hacer la cosa número 64 significará no alcanzar su sueño, del cual entonces tendrá que despedirse. Es un asunto de actitud.

La vida rara vez le pedirá a uno hacer todas las 64 cosas, pero el asunto es que usted no sabe cuáles de esas cosas son las que va a necesitar, de modo que es mejor estar dispuesto a hacer las 64. La actitud "lo que sea que implique" le ayudará a hacer el número de cosas que sea necesario para asegurar el éxito.

El truco está en estar dispuesto a hacer lo que sea necesario sin que haya garantía de éxito. Sólo así es posible alcanzar el éxito.

Póngalo en práctica:

Tome la decisión de estar dispuesto a hacer lo que sea necesario para alcanzar sus metas y sueños.

Sus decisiones tendrán efecto en muchas generaciones

Las personas con las cuales usted se asocie, determinarán los hábitos que usted desarrollará, y sus hábitos determinan sus resultados. Créalo o no, las personas con las que usted se asocie pueden tener un impacto en muchas generaciones.

Hace unas semanas en nuestra iglesia, el predicador estaba hablando en cuanto a cómo las decisiones que tomamos pueden influir en las vidas de nuestros descendientes. Él se refirió al ejemplo de dos hombres (Max Jukes y Jonathan Edwards) que vivieron en Nueva Inglaterra en el siglo XVIII y cómo las decisiones que tomaron (incluyendo la clase de personas con las que se relacionaron) tuvieron un gran impacto en cuatro generaciones y miles de descendientes.

Max Jukes tenía un problema con la bebida, lo que le impedía tener un trabajo constante. Aquello le impedía demostrar suficiente interés por su esposa y por sus hijos. A veces desaparecía por varios días y luego regresaba borracho. Max Jukes escogió una vida de comportamiento sin normas y de delincuencia.

Entre sus 1.200 descendientes se hallan: 440 vidas de vicio declarado, 310 vagos e indigentes, 190 prostitutas, 130 criminales convictos, 100 alcohólicos, 60 ladrones y 7 asesinos. ¡Qué deprimente árbol familiar! Por no decir más.

Por otra parte, Jonathan Edwards es considerado como uno de los hombres más brillantes e influyentes en la historia de los Estados unidos. Fue un pastor bendecido y un teólogo excepcional. La predicación de Edwards inició la llama que condujo a lo que se conoció como el Gran despertar. Más tarde, él mismo fue presidente del Princeton College.

Dentro de sus descendientes estuvieron: 300 sacerdotes, misioneros y profesores de teología, 120 profesores universitarios, 60 médicos, 30 jueces, 14 rectores universitarios, 3 congresistas, 1 vicepresidente de los Estados Unidos... y un increíble atleta olímpico, un hombre excepcional que me ayudó a competir en los olímpicos de 2002 (en el próximo capítulo hablaremos más de él).

El noventa y nueve por ciento del éxito que uno tiene proviene de las personas con las cuales se asocia. ¿Está usted relacionándose con la clase de personas que le ayudarán a tomar la elección correcta, a crear una vida excelente y a dejar un legado del cual enorgullecerse, o se está asociando con la clase de personas que lo conducirán a una vida de mediocridad? ¡La decisión es suya!

Póngalo en práctica:

Asóciese con personas a las cuales respete. Aprenda a copiar sus hábitos que conducen al éxito.

Cómo tener impacto en la vida de otras personas

Una definición de la palabra "carácter" está relacionada con la forma como se actúa cuando nadie lo está mirando a uno. Otra definición también es, la forma como uno trata a las personas de las cuales uno no pueda derivar posiblemente alguna ayuda.

La forma como usted trata a las personas que no pueden ayudarle habla mucho de usted. ¿Las ignora? ¿Pasa por encima de ellas? O, ¿las ayuda y les imparte estímulo?

¿Hace la diferencia una cosa o la otra? Hace una gran diferencia. El carácter es una parte esencial del liderazgo porque la gente estará más inclinada a seguirle y a confiar en usted si es una persona de carácter. Ellos desearán establecer una relación de larga duración con usted. Si usted está en venta (por cierto todo el mundo está en venta), comprarán más a menudo y más cantidad de usted. Su entera calidad de vida mejora cuando es una persona de carácter.

Una de mis peores estrelladas en el *luge* ocurrió en un momento crucial – tres días antes de una carrera en los olímpicos de Salt Lake City. Ni siquiera pude ver cuando me iba a estrellar. Me tomó completamente por sorpresa. Por primera vez en mi vida, me sentí desorientado. Recuerdo haber visto el cielo dos veces y golpear el fondo de la pista dos veces. En ése momento pensaba: "Oh, Dios, por favor, ¡no permitas que se me rompa ningún hueso! ¡Voy a correr en los olímpicos en tres días!"

Gracias a Dios no me rompí nada. Desafortunadamente mi trineo quedó hecho un desastre. Los deslizadores de acero quedaron tan perforados y raspados que pensé que no podría repararlos a tiempo antes de la carrera. Los médicos me recogieron y me llevaron de vuelta a la caseta de inicio, en la cima de la montaña.

Entré en la caseta sosteniendo mi trineo. Mi rostro debió haber estado con una expresión muy descompuesta porque los demás atletas me miraban con asombro y musitaban palabras en diferentes idiomas. Entonces, sucedió algo increíble. Jonathan Edwards, caminó hacia mí, dio un vistazo a mi trineo, y dijo: "Dame treinta minutos y una lima y haré que tus aceros queden como nuevos." Jonathan es un descendiente de Jonathan Edwards mencionado en el capítulo anterior.

¡Yo ni siquiera conocía a Jonathan Edwards! Él había competido en los olímpicos de invierno Lillehammer de 1994. Era el entrenador de la liga de *luge* de Bermuda en Salt Lake City.

Jonathan no tenía nada de lo cual sacar provecho por ayudarme. Me ayudó porque tiene un gran corazón; es una persona de carácter; una persona que está interesada en el bienestar de los demás. Simplemente es un hombre excepcional. Él me ayudó a salir de una situación terrible. Apareció de la nada. Algo así como un ángel guardián.

Es muy difícil encontrar a alguien así. Usted desea estar al lado de personas así. ¿Qué tal si todos nos esforzamos por ser un poco como Jonathan? ¿Tendríamos más influencia sobre las personas a nuestro alrededor? ¿Sería el mundo un lugar mejor?

El carácter cuenta. ¡Sin ninguna duda!

Póngalo en práctica:

Esfuércese por ser una persona de carácter. Ayude a otros a alcanzar el éxito. Haga un impacto en la vida de otras personas. Conviértase en la clase de personas que a sus hijos les gustaría tener a su lado.

El éxito es como aprender a montar bicicleta

Cuando estaba enseñando a Gabriela, mi hija de seis años, a montar bicicleta, me di cuenta que ella estaba experimentando todas las emociones y desafíos que yo experimenté cuando estaba aprendiendo a practicar el *luge*.

Ella sentía todas las emociones que cualquier persona experimenta cuando está aprendiendo algo nuevo... esperanza, temor, ansiedad, duda, y al final regocijo y orgullo, los cuales provienen de esforzarse por hacer algo y lograr aquello que nunca antes se había hecho.

El primer día, Gabriela estaba entusiasmada y llena de expectación a medida que nos dirigíamos hacia el terreno de práctica; el área de parqueadero de la iglesia. Su entusiasmo pronto se transformó en temor y duda, luego de caer unas dos o tres veces de la bicicleta. Gabriela es una niña persistente, no obstante, luego de algunas caídas empezó a retraerse. No quería seguirlo intentando en ese "medio," es decir, la bicicleta.

Cuando ella estuvo a punto de desistir, me di cuenta qué tan importante es tener un entrenador. Como su entrenador, pude animarla e impulsarla durante su etapa de temor. Le corregí constantemente y la animé a medida que le enseñaba a obtener el equilibrio en la bicicleta. Le tomó un rato adaptarse debido a que estaba asustada durante el proceso.

Cuando usted hace algo nuevo que implique un desafío, resulta crítico tener un entrenador o un mentor que le ayude a atravesar la etapa difícil. Especialmente al principio, usted necesitará ayuda para no desistir. Yo nunca hubiera ido a los olímpicos si no hubiera sido por la ayuda de mi entrenador. Él me mantuvo en la carrera el tiempo suficiente para que aprendiera las habilidades y obtuviera confianza.

El segundo día de práctica Gabriela no logró mucho progreso. Aunque hubo una mejora mínima, todavía tenía actitud de derrota. Todavía se caía después de avanzar unos pocos metros. Y lo que más le afectaba era que tan pronto comenzaba a perder el equilibrio su temor hacía que se paralizara y dejara de pedalear. En ese momento pensé que tomaría una semana más antes de que Gabriela lo consiguiera.

El tercer día, me concentré en conseguir que Gabriela continuara pedaleando. Después de una lección de cinco minutos solté la bicicleta de Gabriela y ella continuó pedaleando. Así, ella avanzó unos treinta metros, hizo un giro grande y comenzó a girar hacia mí. Ella no se había dado cuenta que iba sola y cuando me vio, sus ojos se abrieron de sorpresa, dejó de pedalear y se fue al piso. No obstante, usted debió haberla visto después de eso. Desde ese momento en adelante, se subió a las nubes y todo lo que repetía era: "No puedo creerlo, ¡lo hice! ¡Lo hice! ¡No puedo creerlo! ¡Gracias papi!"

Así es como Gabriela experimentó el sabor del éxito. Pudo ver la luz al final del túnel. Con un poco de ayuda de su entrenador, superó la etapa del temor, y ahora todo lo que necesitaba hacer era un poco de afinación. En este punto Gabriela era una novata total. Todavía le falta obtener más confianza. La adquirirá practicando más. La confianza no se adquiere como resultado de aparentar practicar algo. Es el resultado de la práctica constante y de obtener el pleno dominio de las destrezas.

Hacer algo nuevo siempre es difícil al principio. El crecer y desarrollarse para triunfar es duro. Por ello es que es crítico tener a alguien que lo anime a uno al principio. Pero después que usted supere la etapa del temor, experimentará orgullo y regocijo por haber logrado hacer algo que nunca había hecho antes. Empezará la diversión. Si usted practica sus nuevas habilidades y las domina, ganará confianza.

Lo anterior se aplica a cualquier cosa: aprender a montar bicicleta, dominar el *luge*, esquiar, aprender otro idioma, aprender nuevas técnicas de ventas, tocar el piano, etc.

Póngalo en práctica:

¿Lo detiene de alcanzar lo mejor el temor al fracaso? Si así es, ataque el temor haciendo que alguien más le ayude a vencerlo. No intente hacerlo solo por su cuenta. Una vez que aprenda su nueva técnica, practíquela, domínela, y disfrute de los frutos de ganar confianza en su nueva habilidad.

GABRIELA Y GRACEN. LA PERSEVERANCIA SIEMPRE TRAE RECOMPENSAS.

Un paso a la vez

Regresé de una excursión de alpinismo en el monte Rainier. Cuando vi la montaña, me pregunté cómo puede alguien escalar tan alto. Me sentí emocionado y tímido a la vez. Después de todo, es una experiencia completamente nueva. Uno se siente totalmente fuera de su zona de confort, especialmente si está acostumbrado al terreno plano de Houston.

Por fortuna contamos con guías experimentados que nos conducen en nuestro viaje (uno de ellos escaló el monte Everest). Nuestra actitud fue escuchar a los guías y hacer todo lo que ellos indicaran, es decir, la relación apropiada entre un tutor y su aprendiz.

Los guías nos enseñaron dos técnicas que necesitaríamos aplicar de inmediato. La respiración en circunstancias atmosféricas diferentes y el paso moderado. En altitudes altas es más difícil para los pulmones absorber el oxígeno debido a la baja presión atmosférica. Se nos enseñó a inhalar de forma profunda y a apretar nuestros labios mientras exhalábamos, esto con el fin de aumentar la presión del aire en nuestros pulmones y "empujar" el oxígeno hacia estos. Se requiere hacer un esfuerzo consciente para lograrlo, pero como ellos lo explicaron, es como poner dinero en el banco, al respirar aplicando presión, mantenemos nuestras células y nuestros músculos bien oxigenados.

Conservar la energía en el ascenso es muy importante. El paso descansado es una técnica especial que ahorra mucha energía. A medida que usted sube la montaña, debe estirar su pierna en posición más baja de forma recta de modo que todo el peso de su cuerpo descanse sobre sus huesos y no sobre sus músculos, no sobre los músculos de sus piernas. Cuando usted lleve un morral pesado, la técnica de conservación de energía es la recomendada.

Las técnicas recomendadas hacen su marcha más lenta, pero le permiten ascender por periodos de tiempo más largos sin tener que parar. Escalar una montaña se parece mucho a correr una maratón. Todo se relaciona con el manejo de la energía y el paso que se lleva.

Me tomó unas tres horas encontrar mi paso ideal. Uno debe moverse de forma constante, pero no tan rápido que se quede sin aire y tenga que parar. Una vez que encontré mi paso ideal, mi atención se enfocó en dar el siguiente paso. El cien por ciento de mi atención se centró en dar el siguiente paso, en la siguiente huella, a medida que subíamos en ese campo de nieve que tenía forma parecida a una pista de esquí. Un...paso...a...la...vez. Respirar profundo todo el camino, pero no demasiado para no quedarse sin aire... un... paso... a... la... vez.

Ni siquiera mirábamos el paisaje. No podíamos. Hacerlo podría habernos hecho perder el equilibrio y caer. Nos enfocamos en el siguiente paso. Respiración de presión, paso descansado, respiración de presión, paso descansado, una y otra vez. Después de una hora de subida, nuestro guía nos hacía descansar durante quince minutos. Descansábamos de nuestras maletas, mirábamos alrededor, y nos maravillábamos de ver cuánto habíamos avanzado... un... paso... a... la... vez. Subíamos unos 300 metros por hora. Un... paso... a... la... vez.

Nuestros guías dividieron la meta de escalar el monte Rainier (una enorme montaña) en varias metas alcanzables (varias subidas de una hora de duración). También dividieron esas metas en varias sub tareas (respiración de presión–paso descansado). Mientras nosotros nos enfocásemos el 100% en nuestras tareas, las metas y los sueños se cuidarían solos.

Cuando perdíamos nuestro enfoque o cometíamos algún error, nuestros guías estaban allí para ayudarnos. Nunca hubiéramos podido escalar la montaña sin la ayuda de nuestros guías. Ellos tenían la experiencia y la pericia para llevarnos donde ninguno de nosotros pudiera haber ido por su cuenta.

No importa cuán grandes sean nuestros sueños, si los dividimos en pequeñas tareas, fáciles de alcanzar, nos enfocamos rigurosamente en esas tareas y confiamos en un entrenador o mentor, nos sorprenderemos de cuanto podremos alcanzar.

Póngalo en práctica:

Divida sus metas en pequeñas tareas fáciles de lograr. Concéntrese en realizar sus tareas un paso a la vez, y encuentre a un mentor o entrenador que lo lleve a cimas que nunca hubiera podido alcanzar por su propia cuenta.

SUBIENDO EL MONTE RAINIER UN PASO A LA VEZ...

Sueño, luchas, victoria

Tiempo atrás, cuando estaba en mi escuela primaria, mi padre me animó a estudiar la vida de personas exitosas. Él solía decir: "El éxito deja claves. Lee biografías y descubrirás qué es lo que funciona en la vida."

Desde entonces he estado estudiando acerca del éxito. He leído incontables biografías, y he hallado que todas ellas son muy similares. Son la historia de alguien que tiene un sueño, luego enfrenta algunas luchas, y, al final, alcanza la victoria. Las biografías son sueño, luchas, victoria. Sueño, luchas, victoria; y entonces aparece alguien que quiere escribir un libro sobre ello.

Todos tenemos sueños. Lo que ha hecho a estas personas sobresalientes es que tuvieron la iniciativa para actuar. Su sueño constituyó un llamado a la acción, es decir, un anhelo interno de emprender la aventura. Estas personas eligieron hacer caso de la llamada e iniciaron el viaje.

Elegir empezar el viaje implica valor. Y mantenerse en la ruta de la victoria implica valor y perseverancia. Por ello es que admiramos a la gente que va por ello. Los admiramos porque tienen el corazón de un campeón y el espíritu aventurero de los ganadores.

La vida se transforma cuando usted elige emprender el viaje. Si rehúsa darse por vencido, inevitablemente encontrará recursos y habilidades ocultas dentro de sí mismo. Descubrirá de qué está hecho.

Usted ganará siempre y cuando emprenda el viaje. Éste lo transformará. El verdadero propósito del viaje es descubrir en qué se transformará usted.

Enfrente su temor. Emprenda el viaje. Escuche la llamada. Muerda más de lo que piensa que pueda mascar. ¡Hágalo ahora! Usted nunca será el mismo.

MI ENTRENADOR Y YO EN ALEMANIA. ENCUENTRE A UN ENTRENADOR O A UN MENTOR QUE LE AYUDE A ACELERAR SU PROGRESO.

LAS REGLAS DE RUBÉN PARA EL ÉXITO

Usted nunca alcanzará nada grande en la vida hasta que no empiece a creer que algo dentro de usted es más grande que las circunstancias que enfrenta.

Usted puede convertirse en alguien grande si toma la decisión de perseguir un sueño y rehúsa abandonarlo.

Todo éxito que usted haya tenido o haya de experimentar es el producto del valor para actuar y del valor para aguantar.

El éxito no es un asunto de cuánto talento tiene usted. Más bien, es un asunto de lo que usted hace con el talento que tiene.

La gente exitosa ama la lucha, el desafío y el viaje. El éxito está relacionado con saber que usted hizo lo mejor.

Usted siempre logrará más si tiene a su lado a un entrenador o a un mentor.

Si hace lo que sea necesario, durante el tiempo que sea necesario, el éxito será solo un asunto de tiempo.

El credo del campeón

Lea este credo cada mañana y le garantizo que tendrá un día mejor y más productivo.

Yo soy un campeón.
Yo creo en mí mismo.
Yo tengo la voluntad para ganar.
Yo establezco metas altas para mí.
Yo tengo valor. Nunca me doy por vencido.
Yo me rodeo de ganadores.
Yo soy tranquilo, positivo y confío en mí mismo.
Estoy dispuesto a pagar el costo del éxito.
Me encanta la lucha y la competencia.
Permanezco relajado y bajo control en toda situación.
Yo concentro toda mi energía en el trabajo
que hay que hacer.
Yo imagino vívidamente cómo se siente
alcanzar la victoria.
Yo soy un campeón, y yo ganaré.

ACERCA DEL AUTOR

Rubén González no fue un atleta superdotado. Emprendió el deporte del *luge* a la edad de 21 años. Cuatro años más tarde y contra todos los pronósticos, participó en los juegos olímpicos de invierno de Calgary. A la edad de 39 años, compitió en Salt Lake City contra participantes de 20 años de edad. Rubén ha demostrado que la gente común puede lograr cosas extraordinarias.

Rubén es conocido a nivel nacional y ha aparecido en importantes medios como ABC, CBS, y NBC. Ha concedido entrevistas para las revistas Time, BusinessWeek, y Success Magazine, así como para otras publicaciones alrededor del mundo. Sus artículos sobre alto desempeño han sido leídos en todos los continentes. Su columna "High Achievement" es publicada en varias revistas por todos los Estados Unidos. Rubén es co-autor de la película ("Pass It On" [Pásalo]), sobre lo que implica alcanzar el éxito en la vida.

Rubén es uno de los conferencistas más conocidos en los Estados Unidos. En la lista de sus clientes figuran Who's Who de Corporate America, Coca-Cola, Dell, Shell Oil, Continental Airlines, the Million Dollar Round Table, Farmers Insurance, Ortho McNeal, Blue Cross Blue Shield, Wells Fargo, ERA Realtors, y hasta el Departamento del Tesoro de los Estados Unidos. Rubén es aclamado por leyendas de la oratoria como Zig Ziglar, Denis Waitley, y Tom Hopkins y es considerado un líder de la nueva generación de oradores sobre desarrollo personal.

"El éxito es como luchar contra un gorila.
Usted no se retira cuando esté cansado.
Usted se retira cuando el gorila esté cansado"
—Robert Strauss